**L'impossible
est
possible !**

(WITHIN YOU IS THE POWER)

JOSEPH MURPHY
D.D., D.R.S., Ph.D., L.L.D.,
Membre de l'Université
de recherche Andhra, Inde

L'impossible est possible !

La maîtrise de votre puissance créatrice

Traduit de l'anglais par
Dr MARY STERLING D.S.D.

Editions DANGLES
18, rue Lavoisier
45800 ST JEAN DE BRAYE

Titre original :

WITHIN YOU IS THE POWER

La traductrice de cet ouvrage Dr Mary Sterling, docteur en Ontologie et Psychologie, est la Fondatrice Leader du Centre UNITE UNIVERSELLE, 22, rue de Douai, Paris IXe - 874-70-89.

UNITE UNIVERSELLE publie chaque mois une revue. Dr Mary Sterling reçoit sur rendez-vous. Se renseigner au Centre.

Vous serez les bienvenus à la Salle de Lecture de 14 h à 17 h 30 tous les jours, sauf les samedi et dimanche.

Edition originale anglaise :
© by Joseph Murphy - 1977

Traduction française :
© Editions Dangles, St Jean de Braye (France) - 1979
Tous droits de reproduction et d'adaptation réservés.

ISBN : 2-7033-0202-9

1

La Puissance
est en vous

Autour du monde

En 1976, j'ai fait un voyage de 50 jours autour du monde, au cours duquel je fis de fascinantes excursions partout. Je visitai la Grèce, la Turquie, l'Egypte, la Jordanie, Israël, l'Inde, le Népal, la Thaïlande, Singapour, Hong Kong, le Japon et Hawaii. Je rencontrai de nombreuses et intéressantes personnes, me rendis à de nombreuses chapelles et j'assistai à des conférences sur des confessions diverses, des guérisons miraculeuses, sur les différentes techniques de prière et sur la façon particulière dont beaucoup de gens approchent la Présence-Puissance Invisible. Pendant ce voyage, j'eus l'occasion de m'entretenir avec beaucoup de personnes au sujet des lois de l'Esprit. Ce qui m'intéressa vivement, ce fut de constater que tant de personnes, dans ces divers pays souhaitaient se renseigner sur l'action de l'esprit subconscient (1).

Une des raisons de ce voyage était de glaner du matériel pour un livre que je projetais d'écrire ; je notai donc mentalement tout ce que je vis et entendis, et beaucoup de tout cela sera incorporé dans les pages qui vont suivre.

Athènes est tout à fait moderne, elle a un charme très personnel ; sa fascination s'accroît à chaque nouvelle visite. C'est une exploration dans l'Antiquité : le Parthénon, le Temple de Zeus Olympien, les excursions à Eleusis et à Corinthe. Tout cela me mit en mémoire les mystères d'Eleusis et les initiations dans les temples aux rites mystérieux, ces temples qui détenaient les antiques trésors spirituels.

---

1. Voir *La Puissance de votre Subconscient,* du même auteur.

Vous êtes votre propre sauveur

A Corinthe, le guide insista longuement sur le fait que nous nous tenions au lieu même où Paul composa ses Epîtres aux Corinthiens. Puis il ajouta que Paul savait que Jésus était le sauveur de l'humanité. Cela n'est pas exact, vous le comprendrez en étudiant ce chapitre. Paul dit : « **... le Christ en vous, l'espérance de la gloire** » (Colossiens 1 : 27) ; « **Et si Christ n'est pas ressuscité, notre prédication est donc vaine...** » (I Corinthiens 15 : 14) ; « **Eveille-toi, toi qui dors, et relève-toi d'entre les morts, et le Christ t'éclairera** » (Ephésiens 5 : 14).

Qu'entend donc la Bible par ce langage ? L'interprétation littérale de la Bible a été cause de l'incroyance qu'elle a suscitée chez les gens intelligents. Il faut se rappeler que toutes les Ecritures du monde abondent en symbolisme. Beaucoup de phrases et de chapitres dans la Bible révèlent l'impossibilité de les entendre littéralement, tant il en est qui sont figuratifs, allégoriques et mystiques. Les hommes qui écrivirent la Bible (la plupart n'ont point laissé leurs noms), se dirent à eux-mêmes : « *Nous savons ce que nous voulons enseigner, mais comment l'expliquer au peuple ?* » Ils décidèrent donc de parler de problèmes, de difficultés, de guerres, de conflits, de maladies, etc., et ensuite de montrer comment surmonter ces problèmes.

L'espérance de la gloire

Il n'est point ici question de piété hypocrite, de chanter des cantiques, d'aller à l'église, ni de suivre les dogmes et les rites de quelque organisation religieuse. Il s'agit d'exprimer la lumière, l'amour, la vérité et la beauté, dans le présent ; d'être heureux, de vivre dans l'attente joyeuse du meilleur. Lorsque vous êtes rayonnant, lorsque vos rapports avec votre famille, vos amis et vos connaissances sont harmonieux, cela aussi est la gloire (la splendeur de la lumière) de Dieu. Le Christ c'est la Présence de Dieu en vous.

Le mot « Christ », vous le savez, n'est pas un nom propre. Il se réfère à un titre. C'est un mot grec qui signifie *oint*, ou *consacré*. Il correspond au mot hébreu « Messie » et au mot

« Bouddha ». Le Christ en vous, c'est la Divine Présence en vous, votre vérité spirituelle. Jésus est le nom d'un homme ; il est synonyme de « Josué ». Ce dernier signifie « Dieu est la solution ». Dieu est en fait le sauveur, la solution de tous nos problèmes. Voir le Christ en autrui signifie que l'on voit, que l'on perçoit spirituellement la paix là où il y a la discorde, l'amour où il y a la haine, la joie où il y a la tristesse, et l'intégrité, la beauté et la perfection là où il y a la maladie. Cet exercice mental et spirituel s'appelle la pratique de la Présence de Dieu.

« Et moi, si je suis élevé de la terre, j'attirerai à moi tous les hommes » (Jean 12 : 32). Cela signifie que, lorsque, par la prière et la méditation, vous élèverez votre idéal au point de l'acceptation, la manifestation apparaîtra. Autrement dit, vous ferez l'expérience de la joie de la prière exaucée.

La divine présence

Lorsque vous priez et qu'il s'ensuit un sentiment de paix, de quiétude et de confiance, cela signifie que vous avez mentalement touché votre Soi Supérieur (Dieu en vous ; le JE SUIS) et que vous commencez à vous connaître un peu mieux. Le Christ en vous est le JE SUIS, le Vivant Esprit Tout-Puissant. Descartes dit : *« Cogito ergo sum », « Je pense ; donc JE SUIS ».*

La capacité de l'Esprit est de penser, de vous permettre de choisir, de comparer, de peser, de décider. Vous avez la volonté, le choix, l'initiative. Le seul pouvoir immatériel que vous ayez c'est votre penser. Descartes démontra que toute évidence objective n'est point absolument vraie ; par exemple, les illusions optiques, les tromperies des autres, etc. La seule chose sûre dans l'univers c'est que Dieu est Dieu. Lorsque vous dites « JE SUIS » vous annoncez la Présence de Dieu en vous.

Dieu en action en vous

Lorsque vous êtes bon et généreux en élevant les autres dans votre pensée et dans vos sentiments, lorsque vous en dites du bien, c'est le JE SUIS qui parle en vous. Vous êtes une individualisation de l'Esprit Infini, et vous êtes ici pour exprimer de plus en plus votre Divinité. Nous ressuscitons des morts, lorsque nous abandonnons nos fausses croyances ou nos superstitions et que nous nous éveillons à la Présence-Dieu en nous.

Visite à Istanbul

Nous étions vingt et une personnes dans ce voyage, toutes de religions différentes ; nous reconnûmes que nous étions véritablement dans une ville exotique, une ville qui a un pied en Europe et l'autre en Asie. Visiter la célèbre Mosquée Bleue, la mosquée de Soliman le Magnifique, Sainte-Sophie et l'Hippodrome : cela en vaut la peine.

Les Turcs sont probablement les plus zélés des Musulmans. Le Vendredi est le Sabbat de l'Islam et les affaires sont suspendues dans une certaine mesure. Des prières sont lues, des sermons prêchés par les prêtres dans les mosquées. Dans celles que nous visitâmes, il y avait de nombreux fidèles, mais le silence y était si profond que j'eus l'impression qu'il n'y avait personne. L'essentielle doctrine de cette religion est l'absolue unité et la suprématie de Dieu. Allah est Dieu, et Mahomet est Son prophète.

Une question raisonnable et sa réponse

Un homme avec lequel je parlai dans une mosquée me demanda pourquoi nous insistons, nous autres Chrétiens, pour dire que Jésus est notre sauveur ; il répéta ce qu'un missionnaire avait dit à l'école qu'il avait fréquentée étant enfant : « **Car Dieu a tant aimé le monde qu'il a donné son Fils unique, afin que quiconque croit en lui ne périsse point, mais qu'il ait la vie éternelle** » (Jean 3 : 16).

Voici la réponse que je fis à cet homme : certains prédicateurs comprennent malheureusement la Bible littéralement, oubliant les vérités éternelles : « **... La lettre tue, mais l'esprit vivifie** » (II Corinthiens 3 : 6) ; « **N'appelez personne sur terre votre père ; car un seul est votre Père, celui qui est dans les cieux** » (Matthieu 23 : 9) ; « **... je monte vers mon Père et votre**

Père, vers mon Dieu et votre Dieu » (Jean 20 : 17). Tout cela indique que nous avons en commun un Père, un Progéniteur, le Principe de Vie, et qu'en vérité nous sommes tous frères et sœurs.

Je lui fis remarquer qu'en fait chaque homme est son propre sauveur parce que Dieu habite tous les hommes. La Bible dit : « **J'ai dit : Vous êtes des dieux et tous enfants du Très-Haut** » (Psaume 82 : 6). Paul dit : « **Car tous ceux qui sont conduits par l'Esprit de Dieu sont fils de Dieu** » (Romains 8 : 14). Dieu ne respecte pas la personne. « **Car devant Dieu Il n'y a point d'acception de personnes** » (Romains 2 : 11).

La Bible est essentiellement un manuel psychologique et spirituel ; fort nombreux sont ceux qui ne la prennent pas dans son sens littéral mais étudient le sens profond des symboles, des paraboles, des fables, des mythes, des cryptogrammes et des nombres qu'il contient.

Certes, lui dis-je, beaucoup de prêtres parlent du salut de l'âme dans l'après-vie ; mais demain, la semaine prochaine, l'année prochaine, c'est aussi l'après-vie. Constamment, le Principe de Vie qui est en chacun de nous projette sur l'écran de l'espace les résultats de notre penser et de notre imagination habituels. L'homme ne peut perdre son âme qui est éternelle et indestructible, pas plus que Dieu ne peut se perdre Lui-même.

Il n'y a pas d'âme perdue. Un homme peut être perdu à l'harmonie, à la santé et à la paix du point de vue psychologique ; mais il peut toujours s'unir à l'Esprit Infini qui l'habite et revendiquer et retrouver ce qu'il croyait avoir perdu. L'homme aspire à être sauvé, ici même et dans le présent, de la maladie, de la douleur, de la misère et de la souffrance. C'est cela le problème immédiat et essentiel, dis-je, non seulement en Turquie, mais dans toutes les parties de la terre.

L'avenir de l'homme sera le résultat de ce qu'il pense présentement et qui s'objectifiera dans son expérience et dans les conditions de sa vie. N'associez point le salut, ou la solution de votre problème, à un homme, fût-il Jésus, Mahomet, Bouddha ou Lao Tse. N'attendez d'aucun homme qu'il vous sauve. Si vous vous perdiez dans la jungle, il ne s'y trouverait aucun homme pour vous sauver ; mais si vous vous tourniez vers l'Intelligence Infinie qui demeure en vous, vous en recevriez la réponse qui vous conduirait à bon port. « *Dieu donna Son fils* », signifie Son expression, Sa puissance, Ses attributs, et Il les logea dans la subconscience de chaque homme. C'est pourquoi Paul dit : « **... je t'exhorte à ranimer le don de Dieu que tu as reçu** » (II Timothée 1 : 6) ; « **Ne savez-vous pas que vous êtes le temple de Dieu, et que l'esprit de Dieu habite en vous ?** » (I Corinthiens 3 : 16).

Dieu s'imagina en tant qu'homme, et devint ce qu'Il imagina, et tout homme est une manifestation, une image projetée de l'Infini. Tous les pouvoirs de Dieu sont dans chaque homme ; le pouvoir de créer des images est sa première faculté. Quoi que ce soit qu'il imagine et qu'il se sent être se manifeste pour la raison simple que ce qui s'imprime dans l'esprit subconscient s'exprime, se manifeste dans la forme, dans la fonction, l'expérience ou l'événement.

Mon nouvel ami m'en donna confirmation. Il me dit qu'étant enfant, il était maladif, né dans un taudis, il avait grandi dans la misère, ayant fréquemment faim. Un membre de sa mosquée lui avait conseillé de s'imaginer chaque soir qu'il était dans un collège et qu'il avait sur le mur de sa chambre, un diplôme d'études supérieures ; s'il faisait tout cela, Allah le lui donnerait. Il avait médité ainsi tous les soirs. Un jour, sur la plage, il sauva de la noyade une jeune fille. Son père, qui était ambassadeur, lui en fut si reconnaissant qu'il l'envoya faire ses études en Angleterre à ses frais. Cet homme fit, et fait l'expérience de la véracité du passage de la Bible que nous venons de citer.

Dans la Bible, le mot « éternel » signifie une vie continuelle protégée des à-coups du destin ; une vie paisible, harmonieuse, sans hauts ni bas, c'est-à-dire sans alternance de santé et de maladie, de richesse et de pauvreté, de dépression et de joie. Une vie constructive, progressive. Telle est la signification de ce passage de la Bible qui s'est perdue dans les complexités théologiques et qui est ainsi devenue une absurdité pour l'esprit raisonnable. De plus, c'est une insulte aux Juifs, aux Musulmans, aux Bouddhistes et aux Shintoïstes que de leur dire qu'il faut qu'ils croient à la personnalité de Jésus pour être sauvés. Sauvés de quoi ? C'est de l'ignorance, de la peur, de la superstition, de la pauvreté et de la maladie que nous avons besoin d'être sauvés. L'ignorance est le seul péché, l'ignorance et toute la souffrance qu'elle engendre.

Acquérez un nouveau concept de vous-même

Dieu est la Présence et la Puissance Universelle instantanément accessible à tout homme, qu'il soit athée, agnostique ou
saint. Votre pensée est créatrice. Vous êtes à même de créer
l'image de ce que vous aspirez à être. Nourrissez cette image de
foi et de confiance et vous découvrirez que la Puissance créatrice
de Dieu est en vous. Vous saurez ainsi que vous êtes votre propre
sauveur, vous ferez la preuve de ce que Dieu vous habite.

Il n'y a qu'une Puissance Créatrice. Comprenez-le bien.
Faites en sorte que cela soit en vous une conviction absolue, au-
delà de toute argumentation et de toute dialectique, dans laquelle
vous vous reposez mentalement, dans la paix et dans l'harmonie.
Toute la sagesse et la puissance de Dieu sont en vous qui êtes le
Fils de Dieu, c'est-à-dire l'expression, la progéniture, la projection
de l'Esprit Infini qui est en vous. Nous sommes tous engendrés
par l'Unique ; il n'y a qu'Une Présence-Puissance.

Cette explication satisfit pleinement mon ami Musulman qui
étudie à présent mes ouvrages *La Puissance de Votre Subconscient* et *La Paix en vous-même* (2).

Le pays des pharaons

C'était ma troisième visite à ce pays. On fait un recul dans le
temps en visitant Louxor et en voyant le splendide temple de
Karnak, la Vallée des Rois et le Colosse de Memnon à Thèbes ;
tout cela inspire aux visiteurs un émerveillement mystique. Nous
avons écouté des conférences au Musée Egyptien du Caire et
contemplé les fabuleuses reliques de la tombe du Roi Toutankhamon, le Sphinx d'Albâtre et la Grande Pyramide de Chéops. Il y
eut aussi un admirable spectacle son et lumière aux pyramides qui
dépeignait l'époque fastueuse des pharaons.

*
* *

---

2. Ce dernier n'est pas traduit en français (N.T.).

La grande pyramide

Cette pyramide est une des Sept Merveilles du Monde, on l'appelle souvent « l'évangile dans la pierre ». Elle est au centre de l'univers, symbolisant la grande vérité que Dieu est au centre de votre être. La pyramide se rapporte à l'homme et à l'univers. Des savants du monde entier en ont étudié la merveilleuse structure, son antiquité, son exquise construction et le mystère de son origine. Notre conférencier nous fit remarquer que d'éminents astronomes, mathématiciens, égyptologues et archéologues s'étaient livrés à des recherches exhaustives sur les pyramides pour conclure que ceux qui les avaient dessinées étaient des hommes d'une très haute intelligence, possédant la sagesse cosmique.

Les quatre points cardinaux - le chemin de la prière

L'orientation de la Grande Pyramide se rapporte aux quatre points cardinaux qui symbolisent les quatre parties de l'homme : il est spirituel, mental, émotionnel et physique. Les quatre points cardinaux se réfèrent aussi aux quatre lettres du nom Jéhovah, Yod-He-Vau-He. Yod est Conscience d'être, Esprit, JE SUIS. He est l'idée, l'image-pensée dans votre esprit. Vau représente le sentiment, l'amour, l'émotion. Le He final est la manifestation de ce que vous avez imaginé et senti comme étant vrai. C'est ainsi que toutes choses sont créées. Dieu vous parle à travers votre désir. Sentez la vérité de votre désir, nourrissez-le, cultivez-le, imaginez-en la réalité, voyez-en l'heureux accomplissement ; peu à peu il s'imprimera dans votre subconscience et sa manifestation s'accomplira.

Votre diamètre détermine votre avenir

La pyramide, qui est aussi l'histoire de l'homme, dépeint le rapport du diamètre à la circonférence du cercle, qui s'exprime en valeurs numériques. Le cercle représente l'Infinité, Dieu, qui n'a ni commencement ni fin. Le diamètre détermine la circonférence du cercle. Le diamètre c'est votre concept, l'idée que vous vous faites de vous-même, qui détermine le cercle de vos connaissances, de votre statut social, politique, financier, professionnel dans votre univers. Vous pouvez toujours élargir le diamètre et construire une image plus grande de vous-mêmes, magnifiant et élargissant ainsi votre potentiel intérieur, vous permettant de servir davantage l'humanité et de vous épanouir de toute façon.

Elle traça un diamètre plus grand

En conversant avec une musicienne en retraite, celle-ci me dit que sa retraite l'avait ennuyée ; alors, un jour, elle se mit à affirmer tranquillement : *« Dieu augmente merveilleusement mes talents, et de plus en plus de personnes sont bénies pour ce que j'ai à offrir. »* Des professeurs, des maîtres, des prêtres, des étudiants universitaires viennent maintenant en foule lui demander des leçons. Elle est dans l'obligation d'en refuser. Cette dame a découvert l'*élan* (3) de vie, la joie de faire don de ses talents, de libérer la splendeur emprisonnée en elle (4).

L'interprétation de la pyramide

Des interprétations diverses ont été données au mot « pyramide », telles que « Lumière du soleil ». La signification véritable est : « mesure de dix ». Additionnés, le nombre des coins et des côtés d'une pyramide égale dix. Le nombre dix signifie, du point de vue phallique, les organes générateurs masculins et féminins, ce qui, symboliquement, signifie l'union en tous du principe mâle et femelle. Par conséquent, la signification véritable de la pyramide c'est l'interaction de votre conscient et de votre subconscient, son harmonieuse union apporte l'harmonie, la santé, la paix et l'abondance dans votre vie. La Chambre du Roi et la Chambre de la Reine représentent le principe masculin et féminin en chacun de nous.

*
*   *

---

3. En français dans le texte (N.T.).
4. Allusion aux vers célèbres de Robert Browning (N.T.).

Les premiers des fruits

Le propriétaire d'un ranch qui nous accompagnait me demanda : « *Pourquoi donne-t-on à l'Eternel les premiers de tous les fruits ?* » et il cita le passage suivant de la Bible : « **... Tu prendras des premiers de tous les fruits que tu retireras du sol dans le pays que l'Eternel, ton Dieu, te donne, tu les mettras dans une corbeille** » (Deutéronome 26 : 3).

Parmi les peuples du Moyen-Orient et d'ailleurs la coutume veut qu'on laisse mourir sur l'arbre les premiers fruits, car ils appartiennent à Dieu. Selon la tradition en Israël, c'est l'aîné des enfants qui hérite des biens de la famille. Cette loi de primogéniture s'exerce dans certains pays, dans une famille ayant les mêmes père et mère. La loi anglaise reconnaît le droit exclusif d'héritage au fils premier-né.

La loi de la vie est contraire à tout cela. Le fait de rejeter les premiers fruits et de ne manger que les suivants résulte d'un malentendu. L'explication en est simple. Il s'agit de ce que vous êtes présentement et de ce que vous aspirez à être. Il faut que vous mouriez à ce que vous êtes pour vivre dans ce que vous voulez. Autrement dit, il faut que vous exaltiez et nourrissiez votre idéal, votre aspiration, sachant qu'une Toute-Puissance agit en votre faveur. En demeurant fidèle à votre idéal, il prendra corps en vous, l'état ancien mourra afin qu'apparaisse la manifestation nouvelle.

Elle dit : tout va à l'envers

Une femme me demanda : « *Pourquoi ai-je tant de problèmes ? J'ai prié pour un changement. Je sais ce que je veux, mais tout va à l'envers.* » Je lui expliquai que ses prières transformaient sa subconscience, en continuant de détourner son attention du passé et de son ancien état, que peu à peu celui-ci disparaîtrait et que ce processus de changement pourrait être un peu éprouvant. Lorsque vous balayez une pièce, la poussière en est soulevée et vous avez envie d'en sortir. Mais ensuite, la pièce est toute propre et vous êtes satisfait. A mesure que vous saturez votre subconscience de prototypes vivifiants, les vieux complexes qui s'y cachent se rebiffent, un peu de poussière s'élève, mais tandis que vous persistez à nettoyer votre subconscience, tout votre univers change et vous êtes vous-même transformé.

Elle voulait un manteau de fourrure

Au cours de ce voyage je conversai avec une dame qui me raconta que, plusieurs années auparavant, elle avait désiré un manteau de fourrure sans avoir l'argent nécessaire à son achat. L'hiver approchait à New York où la température est, en cette saison, très basse. Cette personne s'était imaginée portant un manteau de vison, touchant ce manteau imaginaire, en sentant sa réalité et se regardant dans un miroir revêtue de son rêve, ressentant sa joie. Quelques jours plus tard, elle se rendit chez Macy (5) pour voir et essayer des manteaux d'hiver. Le sien fut volé pendant cet essayage et la direction de Macy's lui donna, à un prix très réduit, un manteau de vison qu'elle put acheter.

Son subconscient avait pourvu à tout cela à sa façon. Le subconscient sait tout et n'a pas à raisonner les choses, étant habité par l'Intelligence Infinie. Si vous raisonnez par induction, vous admettez que toutes choses sont possibles. Cette femme avait raisonné en se disant qu'elle ne pouvait se permettre l'achat d'un vison, mais, parce qu'elle en imagina un, en sentant bien sa réalité, son subconscient accepta son désir et lui en donna, à sa façon, l'accomplissement. Tout est possible à votre Moi divin. Cette femme avait réussi à imprégner de son désir sa subconscience qui répondit en conséquence.

L'homme a le choix

Vous êtes à même d'être heureux, joyeux, libre et de réussir. Il n'y a point de prédestination. S'il en était autrement, nous n'aurions point le droit de critiquer ou de louer quiconque, car il ne ferait que jouer un rôle, comme un acteur dans une pièce de théâtre. Vous pouvez jouer le rôle que vous voulez en attisant le

---

5. Grand magasin élégant de New York (N.T.).

don de Dieu en vous-même. Il faut vous rappeler que nous en serions incapables s'il n'y était déjà. « **Car mille ans sont, à tes yeux, comme le jour d'hier, quand il n'est plus, et comme une veille de la nuit** » (Psaume 90 : 4). Cette poétique expression signifie qu'un millier d'années sont comme une seconde dans le drame de l'éveil. Laissez la résurrection des pouvoirs de Dieu s'accomplir en vous et, tandis que vous prierez, des merveilles s'accompliront.

2

La nouvelle race

La Jordanie est un pays séduisant, Pétra une ville magnifique d'antiques palais, de temples et d'escaliers taillés dans de la pierre rosée. Le visiteur est saisi d'émerveillement, tandis qu'il se promène dans les ruines de cette historique cité. Des fouilles faites au site du Dibon (1) biblique ont révélé que son occupation date de l'âge de bronze, environ 3 000 ans avant notre ère.

Un homme que je rencontrai à l'hôtel à Amman, capitale de la Jordanie, me dit qu'il n'avait pas connu ses parents, qu'il était né dans un taudis ; il n'en était pas moins devenu un diplomate attaché à une ambassade étrangère. En vacances, il visitait quelques-uns des sites historiques de son pays natal. Il déclara une grande vérité au cours de notre entretien, c'est que, quelle que soit l'origine de la naissance, il est possible de s'élever au-dessus de ses circonstances si l'on sait établir le contact avec la Divine Présence intérieure qui sait et qui peut tout.

Il parla de ces savants et de ces écrivains d'œuvres de fiction qui affirment que nos gènes déterminent notre destinée et qu'il suffira dans l'avenir de changer le code génétique ; nous obtiendrons alors le type d'hommes et de femmes que nous souhaitons, tout comme pour l'élevage du bétail et des chevaux primés. Il ajouta en riant que certains soutiennent qu'une femme qui désire un enfant tel qu'Einstein, Lincoln, Paderewski ou Carver, quelque grand homme d'Etat, ou un érudit, n'aurait qu'à se procurer le sperme de celui qu'elle aurait choisi à la banque d'insémination artificielle pour donner le jour au type

---

1. Cité du Moale (Nombres 32 : 3) (N.T.).

d'homme qu'elle admire. Il n'y a dans tout cela que calembredaines.

Il est vrai, bien sûr, que nous héritons par les gènes de la couleur de nos yeux, de nos cheveux, de notre peau et de bien d'autres caractéristiques. On nous dit que nous héritons aussi de la propension à certaines maladies et que nos parents nous transmettent la stupidité ou un haut quotient d'intelligence. Mais il est temps que nous nous demandions ce que nous avons hérité de l'Infinie Présence-Puissance de Dieu qui est en nous. En fait, nous sommes des temples du Dieu Vivant, et nous sommes là pour révéler tous les pouvoirs, tous les attributs et toutes les qualités de Dieu qui nous sont inhérentes.

Réfléchissez un peu. Vous avez été un enfant dont le père fut aussi le fils de son père. Où cela vous mène-t-il en fin de compte ? A la Source créatrice divine, au Père de toutes choses. Toutes les religions disent « Notre Père ». Nous avons tous un progéniteur commun, le Principe de toute Vie... Les gènes d'Abraham, de Moïse, de Jésus, d'Elisée, de Mahomet, etc., sont en nous tous. De même ceux de Gengis Khan, Socrate, Platon et Aristote. Si vous êtes né Américain, réfléchissez à tous les ancêtres que vous avez eus depuis que les pèlerins ont touché terre aux Etats-Unis. Un mathématicien en ferait vite le compte. Robby Wright, un jeune physicien dont l'arbre généalogique remonte au début du XVIe siècle, a calculé qu'il avait, depuis 1500, 17 000 ancêtres !

Vous n'êtes pas victimes de l'hérédité

Une de mes sœurs, qui fut enseignante pendant des années avant d'entrer en religion, en Angleterre, me parla d'un petit garçon très intelligent qui avait été son élève. Cet enfant dépassait tous les autres, ma sœur le recommanda au curé de la paroisse pour que celui-ci l'envoyât au séminaire où ses études seraient gratuites. L'enfant refusa, disant : *« Je ne suis qu'un fils de mineur. »* Son père adopta la même attitude ; elle les paralysa comme elle paralyse tous ceux qui s'y laissent prendre.

Un couple d'aristocrates de cette paroisse désirait adopter un garçon. Ma sœur recommanda un petit orphelin, et ses parents adoptifs, tout à fait indifférents au fait que depuis des générations sa famille était celle de mineurs, lui firent donner une éducation privée et l'envoyèrent ensuite au collège. Il grandit selon les coutumes de son époque et n'eut pour camarades que des garçons et des jeunes filles de sa riche condition. Pendant une de ses vacances, il rendit visite à ma sœur pour l'inviter à son goûter d'anniversaire et il lui dit qu'il ne pourrait pas inviter le jeune homme qui lui servait de cocher parce que celui-ci était fils de mineur.

Voici donc un orphelin, fils de mineur, éduqué, conditionné, formé à acquérir une haute estime de soi, au point de considérer un autre fils de mineur comme son inférieur. Le premier garçon dont nous avons parlé, celui qui était si brillant, n'eut pas le courage de surmonter ce qu'on lui avait inculqué, à savoir qu'il était d'une classe inférieure ; il se considéra inférieur. Ce fut son attitude mentale qui l'arrêta et non point ses gènes, ni le fait qu'il était fils de mineur.

Considérez la source

Il est insensé de penser que vos parents, vos grands-parents ou vos ancêtres sont la source de vos pouvoirs, de vos qualités, de vos tendances, aptitudes et caractéristiques. Vous limitez ainsi votre potentiel. Prenez conscience de ce que vous êtes venu de Dieu, le Principe Créateur Unique, de Dieu qui vous habite, qui est votre Père Céleste. Toute Sa sagesse, toute Sa puissance et Sa splendeur sont à votre disposition, attendant que vous fassiez appel à Son inépuisable réservoir de force et d'intelligence. Vous n'êtes point une confluence d'atomes, de molécules, de gènes et de tendances héritées ; vous êtes un enfant du Dieu Vivant, héritier de toutes ses richesses, spirituelles, mentales et matérielles.

« Ne vous conformez pas au siècle présent ; mais soyez transformés par le renouvellement de votre esprit, afin que vous discerniez quelle est la volonté de Dieu » (Romains 12 : 2). Voilà la clé d'une vie nouvelle. Votre esprit est une machine à enregistrer et toutes les croyances religieuses, les impressions, les opinions, les idées que vous avez acceptées, qui vous furent inculquées pendant votre enfance sont imprimées dans votre esprit subconscient.

Mais vous pouvez changer votre esprit. Vous pouvez le remplir à présent des prototypes divins de pensées et vous confondre avec l'Esprit Infini qui est en vous, acceptant la beauté, l'amour, la paix, la joie, la sagesse, la puissance et les idées créatrices. L'Esprit en vous répondra, transformant votre esprit, votre corps et vos circonstances. Votre pensée est le médium entre l'Esprit et votre corps et le monde matériel.

La nouvelle race d'hommes et de femmes

Des femmes et des hommes supérieurs n'apparaîtront pas dans ce pays (2) simplement parce que leurs ancêtres y sont arrivés dans le Mayflower ni à cause de leur hérédité, ni par l'action de ceux qui pensent qu'on peut créer une meilleure race humaine comme on fait venir une meilleure race de chevaux. « **C'est l'Esprit qui vivifie** » (Jean 6 : 63). De grandes intelligences sont sorties de taudis. George Carver, par exemple, demandait ses directives et son inspiration à l'Esprit qui l'animait ; il atteignit les sommets de sa science et ses découvertes en chimie sont une bénédiction pour son peuple et pour son pays. Au lieu de penser qu'il n'était qu'un esclave, un inférieur, sa prière constante fut selon l'injonction des Proverbes 3 : 6 : « **Reconnais-Le dans toutes tes voies, et Il dirigera tes chemins.** » Dieu en lui lui répondit, le bénit et le fit prospérer. Demandez-vous fréquemment : Qu'est-ce que j'ai hérité de l'Infini ? La réponse est : Dieu Tout Entier m'habite ; je dois reconnaître cette Puissance, éveiller en moi-même cette Présence et faire ainsi apparaître des merveilles, car Son Nom est Merveilleux.

Il naquit en enfer

Un des plus grands chirurgiens que j'ai connus me dit un jour qu'il était né en enfer ; sa mère était une prostituée, il ne connut jamais son père et, très jeune, on lui apprit à voler. Vous me direz bien que cet enfant avait tout contre lui et rien pour se sortir de cet état affreux. Il en sortit pourtant : un jour, un chirurgien le pansa après qu'il fut blessé dans une bataille de rue.

---

2. Le Dr Murphy, né Irlandais, habite les Etats-Unis dont il est citoyen (N.T.).

Cet homme fut si bon pour lui que le jeune garçon décida sur-le-champ de devenir, comme lui, chirurgien.

« *Je me vis* », me dit-il, « *vêtu de blanc, à la table d'opération, et je demandai à Dieu de m'aider. Un changement s'opéra en moi ; je ne pus plus voler. Je me mis à étudier ferme et j'obtins une bourse. Un de mes maîtres paya toutes mes études à la Faculté de Médecine, me disant : — Vous me rembourserez en devenant un bon médecin et un bon chirurgien.* » Dieu a exaucé ce vœu.

Révéler votre divinité

Nous pouvons amener des changements dans la structure cellulaire du cactus, du blé, du riz, des fruits ; les savants le font tous les jours. Mais pour obtenir un homme, une femme, plus conformes à Dieu, cela ne dépend pas de la structure de leur corps ou de leur cerveau ; cela dépend entièrement du fait qu'ils attisent les pouvoirs invisibles de leur divinité. Les qualités, telles que l'honnêteté, l'intégrité, la justice, le courage, la foi, la joie, la confiance, l'inspiration, l'amour et la bonne volonté ne s'obtiennent pas par un mélange fait au mortier. On ne peut incorporer les rêves, les visions dans quelque mixture et dire : « *A présent, nous allons obtenir un nouvel homme.* » Le caractère détermine la destinée.

Pour se transcender, l'homme a besoin de paix. Cette paix intérieure lui permettra d'être en paix avec le monde entier. Il a besoin d'amour et de bonne volonté pour surmonter la colère, les épreuves et les tribulations. Pour servir l'humanité de son mieux et pour amener plus de paix dans ce monde changeant, l'homme a besoin de courage, de foi, de confiance dans les lois créatrices de son esprit. La paix, l'harmonie, la joie, l'amour, la sagesse, la compréhension viennent de Dieu qui l'anime, et attendent qu'il s'en serve.

« Je t'exhorte à attiser le don de Dieu que tu as reçu... » (II Timothée 1 : 6) (3).

---

3. Le texte anglais dit : « le don de Dieu qui est en toi... » (N.T.).

Qui sont vos enfants ?

Le poète mystique Khalil Gibran (4) dit : *« Vos enfants viennent à travers vous, mais non de vous. »* « **N'appelez aucun homme sur terre votre père, car un seul est votre Père qui est aux cieux** » (Matthieu 23 : 9).

Vous venez d'une haute lignée lorsque vous contemplez votre Père, Dieu ; cette Invisible Présence-Puissance qui créa toutes choses, visibles et invisibles. Les cieux, le ciel, symbolisent l'Intelligence Infinie dans laquelle vous avez la vie, le mouvement et l'être. Lorsque vous priez, retournez à la Source de toute Vie et revendiquez les directives, la sagesse, l'abondance et l'inspiration de la Présence Unique — notre Père à tous.

Refusez de donner pouvoir aux conditions, aux circonstances, aux événements, ou aux gènes de vos parents, grands-parents ou ancêtres. Les hommes, les femmes, les conditions ne sont point cause de votre bonne ou de votre mauvaise fortune. La Cause Suprême — la seule Cause et Puissance — c'est l'Esprit. Vous n'êtes pas lié par le karma ou le passé. *Dieu vous habite* (5). Réjouissez-vous-en et croissez en sagesse, en vérité et en beauté.

Laissez Dieu s'élever en vous

Lincoln connut bien des échecs dans sa carrière politique, mais il persista dans la foi et la confiance dans la Puissance Suprême pour le conduire et le guider. Né de parents illettrés et misérables, il ne regarda pas ses prétendues entraves ; il lui arriva de faire quarante kilomètres pour assister à une conférence lorsqu'il était jeune. Lincoln avait une vision, la Puissance de Dieu, à Laquelle il fit appel, lui en permit la réalisation.

Beethoven était sourd, mais il entendait la musique des sphères intérieurement. Léonard de Vinci était de famille pauvre, fils d'une paysanne et d'un mauvais sujet. Edison fut chassé de l'école, le maître l'ayant pris pour un retardé ; il n'en décida pas moins d'éclairer le monde. Einstein fut renvoyé de plusieurs

---

4. Voir son livre *La Voix de l'éternelle sagesse* (Editions Dangles).
5. Nous soulignons (N.T.).

écoles, on le considéra incapable de suivre leur enseignement ; il n'en parvint pas moins aux sommets des mathématiques et de la physique, et révéla un univers de loi et d'ordre divin. Newton était le fils d'un fermier très pauvre qui mourut à sa naissance. Newton se tourna vers la Source de toute sagesse, et nous donna la loi d'action et de réaction, éclairant les hommes par ses déductions et ses découvertes astronomiques.

Prenez conscience de ce que le génie sort parfois des plus humbles commencements. Milton, bien qu'aveugle, nous donna *Le Paradis Perdu.* L'imagination divine était son œil spirituel qui lui permit d'annihiler le temps, l'espace et la matière, et d'exprimer les vérités de l'Invisible Présence qui est en nous tous. Souvenez-vous de Chico, l'égoutier parisien, qui vivait dans un état d'esprit paradisiaque appelé « le septième ciel », bien qu'il ne vît jamais la lumière du jour.

Naître dans un palais, être fils de roi ou l'héritier d'une famille noble n'assure point nécessairement que l'on sera un Milton, un Shakespeare, un Phidias ou un Beethoven. Les hommes accomplissent de grandes choses, lorsqu'ils prennent conscience de leur divine origine et, dans les tranquilles moments de la méditation et de l'imagerie divine, ils comprennent que, depuis la fondation du temps, les choses invisibles deviennent ainsi visibles.

La foi c'est votre intuition

Votre attitude mentale représente votre foi. Il vous est fait selon votre foi dans l'Intelligence Créatrice qui est en vous. Prenez-en conscience et laissez Sa bonté infinie agir en vous, à travers vous et tout autour de vous.

Extirpez les alibis et les excuses

Il y a quelques années, je lus le cas d'un criminel dont l'avocat plaida en faveur des circonstances atténuantes parce que, dit-il, il venait d'une famille pauvre, d'un milieu misérable, son père étant ivrogne et sa mère une prostituée. Le juge lui répondit :

« Je n'accepte pas votre plaidoirie, Maître. Le frère de votre client, élevé dans les mêmes conditions, est un de nos plus éminents juristes. »

Le papillon sort du cocon et étale ses ailes qui lui permettent de voler et de révéler sa splendeur. De même, vous pouvez sortir de toute limitation, de toute entrave, et vous élever sur les ailes de la foi et de l'imagination pour révéler votre propre splendeur.

Votre parenté divine et votre parenté humaine

Il est vrai que vous avez hérité de vos parents certaines tendances génétiques qui déterminent la couleur de votre peau, de vos yeux et votre constitution physique. Votre tempérament et votre caractère sont influencés par l'atmosphère mentale et émotionnelle de votre foyer. Tout enfant est sujet à sa formation première, à l'humeur, aux sentiments, aux croyances de ses parents. Cependant, en grandissant et en prenant conscience de la Divine Présence en lui-même, il peut s'élever au-dessus de tout handicap. En apprenant à contempler les vérités éternelles, il se dégage de l'atmosphère et de l'influence parentales, dans le passé comme dans le présent.

Notre conditionnement et notre formation

Il se peut que l'on ait été victime de faux enseignements, de fausses croyances théologiques au sujet de Dieu, de la vie et de l'univers ; mais nous pouvons changer ces croyances négatives en prenant l'habitude de penser constructivement, harmonieusement et paisiblement. Notre subconscience est le siège de l'habitude, comprenons donc que toute habitude peut être changée. Indubitablement, nos craintes, nos superstitions, nos tabous et nos contraintes nous furent inculqués dans notre jeunesse.

Au cours de mon voyage en Inde, au Népal, en Thaïlande, j'entendis des élèves universitaires me dire : *« Oh ! si je ne me conduis pas bien dans cette vie, il se peut que plus tard je revienne tigre, lion, chien ou quelque autre animal. »* Ils me dirent que leur état actuel dans la vie était basé sur leur karma et qu'ils récoltaient ce qu'ils avaient semé dans une précédente vie. Ils croyaient qu'ils étaient punis pour leurs fautes passées. Pour eux, le karma était une loi cruelle qui impose la punition, une sorte d'œil pour œil, dent pour dent.

Tout cela est bien loin de la vérité. En dépit du passé d'un homme, quand on lui fait appel, l'Amour divin dissout tout ce qui ne Lui est pas semblable. Dieu est l'Eternel Présent. Le karma n'est autre que la loi d'action et de réaction. Dans le Principe-Esprit il n'y a ni temps ni espace. Tout homme peut transformer sa vie en se donnant à lui-même une transfusion d'Amour divin, de Lumière, de Vérité. Il efface ainsi les conséquences de ses erreurs passées en nettoyant son esprit subconscient. Lorsque nous polluons notre subconscience en y imprimant de fausses croyances, des sentiments négatifs, nous en souffrons les conséquences ; or, nous pouvons les extirper par la prière scientifique qui n'est autre que la pratique de la Présence de Dieu.

Les crimes, les erreurs, les offenses les plus graves peuvent être effacés, bannis de la subconscience, libérant celui qui en était l'auteur des résultats, des punitions qui suivent naturellement les impressions négatives faites sur le subconscient. Mais il ne s'agit pas de prières faites pour la forme, superficielles, ni d'aller à l'église. Cela ne suffit pas ; il faut un désir intense, une faim, une soif profondes de la part de l'individu pour une nouvelle naissance à sa Divinité, une attitude d'esprit qui change fondamentalement son caractère. Il faut aussi une *constante saturation* (6) de son esprit des vérités éternelles, pour que soit effacée du subconscient la punition, c'est-à-dire la réaction naturelle.

L'action est de l'esprit conscient, la réaction de l'esprit subconscient. Le karma n'est point une sentence effrayante à surmonter ou qui doit être expiée. L'idée du karma vient d'Orient ; cependant, dans toutes les écritures sacrées, la Bhagavad-Gita incluse, il est dit qu'en revenant au Centre Divin et en contemplant les Vérités de Dieu, l'état négatif ancien disparaît pour faire place au nouveau. Toute adversité est rédemptrice ; le remède est la pratique de la Présence de Dieu. Une attitude mentale transformée change tout.

---

6. Nous soulignons (N.T.).

Les morts vous gouvernent-ils ?

Est-ce que les pensées, les croyances, les opinions de personnes qui, depuis longtemps, ont quitté cette dimension de la vie, vous gouvernent ? Tout autour de la terre des millions de personnes sont toujours menées par des tendances et des émotions, telles que la peur, le ressentiment, la cupidité, l'hostilité et la condamnation de soi-même, toutes choses qui émanent de générations qui, depuis longtemps, sont passées dans la dimension prochaine de la vie.

Souvenez-vous que tout ce qui vous fut enseigné, tout ce que vous avez acquis pendant votre enfance, les habitudes de vos parents et de vos grands-parents que vous imitez, tout cela peut être changé par la prière scientifique. Il va de soi que l'Intelligence Infinie qui vous créa peut aussi vous guérir. Elle créa tous vos organes et elle contrôle tous les processus vitaux de votre corps. Votre esprit est celui de Dieu ; car il n'en est qu'un, commun à tous les hommes. Des possibilités infinies dorment donc en vous.

Vos croyances, vos convictions, dictent et contrôlent toutes vos actions conscientes. Autrement dit, vous êtes l'expression de vos croyances. Prenez dès à présent la décision de ne plus être sujet aux faux archétypes de penser qui vous furent donnés dans votre enfance. L'Esprit, Dieu en vous, est l'unique Présence, Puissance, Cause et Substance. Associez-vous à votre Père Céleste et transformez votre vie.

Esprit et matière

La science moderne sait que l'Esprit et la matière sont interconvertibles et interchangeables ; que la matière c'est simplement l'Esprit ralenti au point d'être visible. Il est faux de dire que vous êtes conditionné par votre environnement, par votre foyer, votre travail, vos affaires, votre entourage ; tout cela n'est que suggestif. Mais si vous l'acceptez, vous allez répéter les mêmes archétypes que vos ancêtres et vivre, comme eux, une existence basée sur des credo, des dogmes et des traditions plus ou moins faux. La Puissance créatrice est en vous. Le penseur scientifique ne fait point une cause d'un objet créé ; il sait que ce n'est qu'un effet. Connaissant la Puissance Créatrice, la Cause Première, vous n'attribuerez plus à aucune personne, à aucun lieu, à aucune situation le pouvoir de créer. Vous savez à présent que votre propre pensée est la seule puissance créatrice.

Devenez un canal du divin

Tous les pouvoirs de l'Infini sont en Vous. La prière suivante fera merveille : « *La Sainte Présence de Dieu coule en moi en tant que beauté, harmonie, amour, joie, sagesse, compréhension, Direction divine et abondance. Dieu est tout cela en moi et j'en rends profondément grâce.* »

Réitérez ces vérités trois ou quatre fois matin et soir, et prenez grand soin de ne pas nier ensuite ce que vous aurez affirmé ; vous verrez que vous êtes vraiment fils, ou fille de l'Infini, enfant de l'Eternité. Lorsque vous pensez ainsi, tous les Pouvoirs de l'Infini se mettent à l'œuvre en vous, c'est ce que la Bible appelle, le Christ en vous, l'espérance de la gloire. Regardez toujours vers votre héritage spirituel, et jamais vers celui de vos parents ou de vos ancêtres. Vous avez pouvoir sur votre vie et le moyen et la capacité de transformer votre univers.

Cessez de blâmer vos parents

Dans notre enfance, nous sommes tous impressionnables, malléables et sujets aux croyances, aux pensées et au conditionnement de nos parents. Nous ne possédons pas la compréhension spirituelle ni le raisonnement nécessaire pour rejeter toutes les pensées négatives, toutes les peurs qui nous sont inculquées, mais en tant qu'adulte, vous êtes responsable de la façon dont vous pensez, sentez, agissez et de ce que vous croyez. Vous, vous seul, êtes complètement responsable de la façon dont vous agissez et réagissez. Vous êtes ce que vous pensez à longueur de journée. Ce que vous pensez, ce que vous sentez, vous le devenez inévitablement.

*
* *

Vous êtes un roi

Il est temps que vous revendiquiez votre royauté, car, en fait, vous régnez sur tous vos concepts. Vous pourriez, par exemple, aller chercher dans la jungle et adopter un petit enfant sauvage et lui enseigner la sagesse de Dieu, lui apprendre à penser, à sentir, à agir selon Ses Lois, rappelant à cet enfant qu'il est fils de Roi ; il vous croira, il vivra son rôle de prince, il aura un comportement royal. Peu à peu, il deviendra le roi de ses pensées, de ses paroles, de ses actions et réactions ; il sera maître de sa vie. Cela sera parce que le Roi Tout-Puissant est en chacun de nous.

Vous êtes fils du Dieu Vivant. Revendiquez à présent votre héritage. La Voix Intérieure vous dit : « **Tu es mon fils, je t'ai engendré aujourd'hui** » (Hébreux 1 : 5).

3

L'homme et le cosmos

Les idées pour écrire ce chapitre vinrent à l'auteur tandis que nous traversions la Jordanie pour nous rendre en Israël, traversant le Pont Allenby et le Jourdain. Nous fîmes une excursion aux célèbres lieux des récits de la Bible.

Une visite à Bethléem est extrêmement émouvante ainsi que la vue des belles collines et des vallées de la Judée. Le monastère d'Elie et la Tombe de Rachel ont des significations profondes. Le Mont des Oliviers signifie le haut état de conscience qui provient de la contemplation des choses divines. Le Jardin de Gethsémani, du point de vue ésotérique, c'est votre propre esprit, lorsque, dans la méditation profonde, vous exprimez la joie, et ce moment dure à jamais.

Le Mur des Lamentations nous rappelle que nous devons oublier le passé et nous hâter vers la sagesse, la vérité, la beauté et la joie. L'église Saint-Etienne et le Dôme du Roc nous rappellent que l'église est, en réalité, en nous-même, et que nous sommes ici pour exprimer les merveilles de l'Infini qui est en nous. « Eglise » vient du grec « ecclésia », c'est-à-dire tirer la puissance et la sagesse de Dieu de votre Moi Supérieur. Le roc symbolise votre conviction de la Présence de Dieu, qui est invulnérable, invincible.

Béthanie, la Tombe de Lazare, et Jéricho ont aussi de profondes significations. Jéricho signifie l'état de fragrance. Lorsque votre prière est exaucée, vous ne pouvez pas plus réprimer votre joie que vous ne pouvez réprimer le parfum d'une rose. La Tombe de Lazare représente un état de mort tel que la maladie, la frustration, les idéals, les désirs morts et qui n'ont point été ressuscités. Lorsque vous vous éveillerez à vos Pouvoirs Divins, vous ferez appel à l'Infini, et vous ressusciterez ces désirs qui dorment en vous. Tout ce que vous revendiquez et sentez comme étant vrai, votre subconscient le ressuscitera et le projettera sur l'écran de l'espace.

La Mer Morte aussi a sa signification symbolique : rien n'y vit. Elle a une arrivée, mais point de sortie ; c'est pourquoi elle est morte. Cela nous enseigne à donner généreusement et joyeusement de nos talents, de nos capacités. Vous pouvez donner ainsi la cordialité, la bonne humeur, la bonne volonté. Vous pouvez exprimer la joie et exalter la Divinité en vous-même et en tous ceux qui vous entourent. Partagez avec tous les idées de Dieu. Donnez comme l'arbre donne son fruit, comme le soleil donne ses rayons, sans poser de questions. Faites librement circuler l'amour, la paix et l'harmonie de Dieu en vous-même et en tous. Que votre abondance circule avec sagesse, judicieusement et constructivement. Tout cela est essentiel à une vie heureuse. Il est naturel de donner de l'amour comme une mère le donne à l'enfant au berceau ; elle n'exige rien en retour.

Bethléem signifie : la maison du pain ; le pain de la paix, de l'harmonie, de la joie, de l'inspiration et de la Direction divine. C'est le pain de vie. Béthanie signifie que la Puissance de Dieu en vous surmonte tout problème. Elie, c'est la Présence de Dieu, la conscience du JE SUIS en vous ; la connaissance de ce que Dieu, en vous, est votre sauveur.

Il s'en prend aux étoiles

« Il y a une conflagration maléfique des planètes dans mon horoscope, et tout va mal pour moi. Saturne est en opposition au Soleil », me déclara un homme qui vint me consulter il y a quelque temps. Il était convaincu que sa vue décroissante et ses pertes pécuniaires étaient ordonnées par les astres, bien que son ophtalmologiste, après avoir examiné son fond de l'œil, ait mis sur le compte d'une perturbation émotionnelle la décroissance de sa vision. Cet homme était intensément jaloux des succès

financiers d'un de ses associés dans les affaires, et cet état hautement négatif était la vraie raison de ses embarras pécuniaires et de sa mauvaise vue.

J'expliquai à cet homme ce qui est bien connu en médecine psychosomatique, à savoir que les facteurs mentaux et émotionnels jouent un rôle décisif dans la maladie. Au cours de mon entretien avec cet homme qui redoutait tant son horoscope, il m'avoua qu'il haïssait profondément sa belle-mère. Il me dit qu'il détestait sa vue.

Je lui expliquai que son subconscient le prenait au mot et que ses yeux servaient de bouc émissaire. De plus, sa jalousie devant les succès de son associé en matière de finances l'appauvrissait, car, en fait, il se disait : « *Il est capable de réussite, il avance, il s'enrichit, moi je n'y parviens pas.* » Il plaçait l'autre sur un piédestal et se méprisait. En fait, il se dépouillait lui-même et s'attirait de plus en plus le manque, la déroute et les limitations.

Le fait de le comprendre fut sa guérison. Il demanda et obtint que sa belle-mère aille vivre ailleurs et son ressentiment à son égard disparut tandis qu'il affirmait avec sincérité : « *J'irradie envers vous l'amour et la bonne volonté et je vous souhaite toutes les bénédictions. Je vois la Présence de Dieu agir en vous, à travers vous et tout autour de vous.* »

Il persista à prier ainsi et sa vision redevint normale ; son médecin lui en donna l'assurance. En fait, cet homme avait décrété sa propre cécité, car son subconscient ne pouvait qu'obéir à ses directives conscientes. Il se mit aussi à prier pour son associé et, à son grand étonnement, ses affaires redevinrent prospères. Il découvrit qu'en priant pour le succès et la prospérité de son associé, dont il avait été si jaloux, il priait aussi pour lui-même. Et tout cela eut lieu en dépit des sombres pronostics de son horoscope.

La seule puissance

Shakespeare dit : « *La faute n'est pas à nos étoiles mais en nous-mêmes si nous sommes inférieurs.* » La seule puissance est dans votre Conscience-d'être, c'est-à-dire le JE SUIS, l'Esprit Vivant, Dieu en vous. Ce n'est donc point aux astres mais à Dieu que vous devez donner votre allégeance, à Dieu qui créa les astres comme les planètes. C'est au Créateur qu'est la puissance et non au créé.

La Bible nous exhorte continuellement à cesser d'adorer de faux dieux. « **Tu n'auras pas d'autres dieux devant ma face** » (Exode 20 : 3). « **Je suis l'Eternel, c'est là mon nom ; et je ne donnerai pas ma gloire à un autre, ni mon honneur aux idoles** » (Esaïe 42 : 8). « **Tu t'es fatigué à force de consulter ; qu'ils se lèvent donc et qu'ils te sauvent, ceux qui interrogent les astres, qui pronostiquent d'après les nouvelles lunes ce qui doit t'arriver et qu'ils t'en sauvent !** » (Esaïe 47 : 13).

La loi de l'esprit en action

Deux professeurs de mes amis avaient fait faire leur horoscope au prix de 50 dollars chacun. Suivant mon conseil, ils acceptèrent de ne pas les lire, afin de ne point imprégner leur subconscient des suggestions négatives qu'ils pouvaient contenir. Pendant douze mois je fus le gardien de ces deux horoscopes.

Pendant ce temps, je leur expliquai entièrement la loi de la vie : « **Tel un homme pense en son cœur, tel il est** » (Proverbes 23 : 7). Ce qui signifie que tout ce que vous acceptez comme étant vrai va imprégner votre subconscient et, éventuellement, s'exprimera. Je leur expliquai également que rien ne peut arriver à quiconque sans qu'il n'y en ait dans son esprit l'équivalence. Chacun façonne sa destinée au moyen de ses pensées et de ses sentiments habituels.

J'ajoutai que, même si leur subconscience avait été polluée par les croyances fausses et négatives, elle pouvait se transformer s'ils s'identifiaient à présent aux vérités éternelles plutôt qu'aux dispositions du Zodiaque. Qu'il leur était loisible de charger régulièrement leurs piles mentales et spirituelles en contemplant les vérités de Dieu qui transcendent tous les horoscopes.

Chacun de mes amis se mit à pratiquer le penser constructif selon l'éternel Principe de Vérité. A la fin de l'année, chacun examina dans mon cabinet son horoscope et éclata de rire. Chaque horoscope contenait des prédictions négatives qui ne s'étaient pas réalisées. En fait, les revers pécuniaires et les accidents prédits avaient été remplacés par des réussites et par la bonne santé. Chacun de mes amis avait prospéré et, de plus, chacun avait été promu dans sa profession.

S'ils avaient lu leurs horoscopes, nul doute que les suggestions négatives qu'ils contenaient se seraient imprimées dans leur subconscience et toutes ces choses prédites se seraient ainsi réalisées : « **Qu'il te soit fait selon ta foi** » (Matthieu 8 : 13). Si vous croyez aux prédictions négatives, elles se réaliseront assurément, car la loi de la vie est la loi de la croyance.

La recherche

Selon la loi de l'allégorie, Abraham quitta la Chaldée, à la recherche du vrai dieu. Les Chaldéens étaient imbus d'astrologie ; ils attribuaient tout aux mouvements des astres, assimilant par profanation le créé au Créateur. Mais Abraham, qui signifie « le Père de la multitude » (Notre Père), comprit que l'univers est gouverné par son Créateur, sa Cause Première ; il donna son allégeance entière à Dieu, seule Présence, seule Puissance, seule Cause, seule Substance.

La psychologie de l'Antiquité

L'astrologie peut être comprise comme étant la psychologie de l'Antiquité. J'ai connu des sensitifs qui lisaient dans le passé, le présent et le futur avec une exactitude extraordinaire, révélant les tendances et les caractéristiques des individus sans avoir la moindre notion d'astrologie. Certains se servaient d'un jeu de cartes et faisaient des prédictions d'une surprenante exactitude ; d'autres, se servant des nombres, révélaient des événements passés, des projets actuels. Tout ce que fait le sensitif, le médium, c'est se brancher sur le subconscient de son consultant, se mettre *en rapport* (1) avec sa subconscience. En fait, vous lui avez tout dit avant qu'il ne vous dise quoi que ce soit.

S'il y a la moindre validité dans toutes les prédictions astrologiques, ce n'est pas parce que vous êtes né le 5 août ou le 4 juillet que vous avez certaines caractéristiques ; cela est plutôt

---

1. En français dans le texte (N.T.).

le résultat des croyances de l'inconscient collectif de la masse en ce qui concerne cette période de l'année.

Carl Jung dit : « *Dans la mesure où il y aurait des déductions astrologiques exactes, elles ne seraient point dues aux effets des constellations mais au caractère hypothétique que nous donnons au temps.* » Autrement dit, tout ce qui est né, tout ce qui est accompli en un moment possède les qualités de ce moment.

Cela est semblable à l'opération du I Ching (2) chinois auquel Carl Jung fait référence dans sa Préface (3) disant que ce qui arrive à un moment donné possède inévitablement la qualité particulière à ce moment. A travers les âges, les hommes ont accordé aux constellations, à leurs signes, de la puissance, croyant qu'ils exerçaient une influence sur eux. Autrement dit, toute l'idée de l'influence de ces signes sous lesquels nous sommes nés est basée sur l'idée collective, la croyance ancrée dans le subconscient.

Nous faisons tous partie de l'entendement racial, de la masse humaine, et sommes affectés par les croyances de ce collectif inconscient à moins de libérer notre esprit par la prière scientifique, c'est-à-dire par la contemplation, au plus haut niveau, des Vérités Eternelles. La Loi c'est que *nous devenons ce que nous contemplons* (4).

Croyance de l'entendement collectif en Amérique

Dans le subconscient de 200 millions de personnes de ce pays, il y a la superstition, la croyance massive qu'un président mourra de mort violente tous les vingt ans. Si l'occupant de la Maison Blanche saturait son esprit de la signification profonde du Psaume 91, il serait complètement immunisé, si imbu de la Présence de Dieu en lui-même que rien ne pourrait l'atteindre.

---

2. *The Secrets of the I Ching,* Dr Joseph Murphy, non traduit en français.
3. *Les Secrets de la Fleur d'Or.*
4. Nous soulignons (N.T.).

Comment le taureau devient bélier

Si vous dites que vous êtes né en Taureau alors que le soleil était tropiquement dans ce signe, en fait, dans le Zodiaque sidéral basé sur des étoiles fixes, en usage en Orient, le soleil serait en Bélier. Toutes les descriptions que vous lisez sont dérivées d'observations empiriques. Supposons que vous soyez né un 10 mai. Un astrologue en Inde, utilisant la version sidérale du Zodiaque, dirait que le soleil était en Bélier. En conséquence, la description de vos tendances et de vos caractéristiques différerait de celle d'un autre qui vous déclarerait né en Taureau, se basant sur les indications des divers manuels sur ce signe.

Cependant, lorsque les deux astrologues, oubliant les étiquettes *Bélier* et *Taureau,* vous analyseraient selon la période du temps, c'est-à-dire la date de votre naissance, ils baseraient leurs conclusions sur la croyance de la masse, l'observation empirique de milliers d'exemples pris au cours des années et, en toute probabilité, leurs observations et leurs déductions seraient fort semblables.

Tout de même, un bon graphologue peut examiner votre écriture et donner une excellente description de vos caractéristiques, tendances, aptitudes, et des probabilités de futurs succès, etc. Tout cela est encore basé sur des observations empiriques au sujet du style de votre écriture, de la forme des lettres avec, de plus, l'intuition, la perception psychique du graphologue.

Le Zodiaque, avec ses douze signes, symbolise les douze tribus de l'Ancien Testament et les douze apôtres du Nouveau Testament. En d'autres termes, les douze pouvoirs, attributs, qualités de Dieu en vous.

Les noms des étoiles

« *Les Anciens,* dit Maimonide, *portant toute leur attention à l'agriculture, donnaient aux étoiles des noms dérivés de leurs occupations en cours d'année.* » Pour comprendre l'astrologie en termes de son développement historique, l'éminent érudit C.F. Volney dit, dans *Revolutions of Empires,* publié en anglais à Paris en 1802, que ce fut sur les bords du Nil supérieur, parmi une race noire, que le système compliqué de l'adoration des étoiles fut élaboré. Il était considéré par rapport aux produits de la terre et aux labeurs de l'agriculture.

C'est ainsi que les Ethiopiens nommèrent Verseau le signe sous lequel le Nil se mit à déborder ; ils nommèrent Taureau l'étoile sous laquelle ils commençaient les labours ; Lion, l'étoile sous laquelle cet animal, chassé par la soif du désert, apparaissait sur les bords du Nil ; Vierge, l'étoile de la première moisson, et étoiles du Bélier et des Gémeaux celles sous lesquelles naissaient les agneaux et chevreaux.

Ainsi, ces Ethiopiens, ayant observé que le retour des inondations correspondait toujours à la naissance des belles étoiles qui apparaissaient vers la source du Nil et semblaient mettre en garde les paysans contre la montée des eaux, comparèrent ce mouvement à celui de l'animal qui, en aboyant, prévient d'un danger, et ils appelèrent ces étoiles le chien, l'aboyeur (Sirius).

De la même façon, ils nommèrent étoile du crabe celle où le soleil, parvenu au Tropique, se retire par un lent mouvement rétrograde tout comme le crabe, le Cancer. Ils appelèrent chèvre sauvage, Capricorne, l'étoile qui, au moment où le soleil atteint son point culminant annuel, se repose au sommet du gnomon horaire, imitant la chèvre qui aime à escalader les sommets des montagnes. Ils nommèrent Balance, l'étoile de l'égalité des jours et des nuits, qui ressemble ainsi à l'équilibre de cet instrument ; et Scorpion, celle dont certains vents périodiques amènent des vapeurs qui brûlent comme le venin du Scorpion.

Se servant d'une métaphore naturelle, les hommes disaient : le taureau porte sur toute la terre les germes de la fécondité (au printemps) ; le taureau délivre le ciel des pouvoirs maléfiques de l'hiver ; il sauve le monde du serpent (emblème de la saison humide) et rétablit l'emprise de la bonté (l'été) ; le scorpion déverse son poison sur la terre et répand la maladie et la mort.

Ce qui précède est un bref résumé de l'article de l'éminent savant Volney sur l'adoration des symboles.

Le zodiaque et sa signification

Le mot *Zodiaque* énonce une ligne, une ceinture imaginaire dans le ciel. Ce n'est point un corps physique et, de toute évidence, cela n'a point de force de gravitation. C'est pourquoi les astronomes et les astrophysiciens ne peuvent comprendre ceux qui lui donnent créance. Ils rejettent complètement l'idée de la prétendue influence des douze signes, comprenant que l'assertion de l'astrologue selon laquelle cette influence est due à l'attraction gravitationnelle est parfaitement absurde.

La Bible et les étoiles

« **Des cieux ils combattirent ; de leurs sentiers les étoiles combattirent contre Siséra** » (Juges 5 : 20). Cela, sans aucun doute, signifie que Siséra comprit que son horoscope lui était défavorable. Nous l'avons dit, telle est la psychologie de l'Antiquité ; les Anciens disaient que celui qui naissait sous un certain signe aurait la constitution psychologique, les traits spéciaux, les tendances, les aptitudes dominants de ce signe. En fait, si Siséra croyait que les astres lui étaient contraires, il allait lui être fait selon sa foi ; car la loi de la vie est la loi de croyance.

Nous avons tous été élevés dans certaines croyances, certaines opinions, certaines craintes et attitudes envers la vie. Tous, nous avons été différemment conditionnés dans notre jeunesse. Pourtant le fatalisme n'existe pas, car nous pouvons transformer notre vie en nous accordant à l'Infini et en insistant sur le fait que ce qui est vrai de Dieu est vrai aussi à notre sujet. En pensant, parlant et agissant du point de vue de l'Infinie Présence-Puissance, nous établissons pour nous-mêmes un horoscope qui sera basé sur la sagesse, la vérité, sur la loi et sur l'ordre divins.

De toute évidence, Siséra redoutait la défaite et la mort. Job dit : « **Ce que je crains, c'est ce qui m'arrive...** » (Job 3 : 25). Une telle attitude d'esprit ne pouvait que mener Siséra à la défaite désastreuse. Cependant, il aurait pu briser, surmonter les prédictions négatives de l'astrologue en se tournant vers la Présence-Dieu intérieure et en revendiquant la paix, l'harmonie, l'amour divin et l'action juste ; sa vie alors eût été changée. Siséra était Philistin, il ignorait les lois de l'Esprit. Sa défaite n'était point dans les astres, mais dans son subconscient.

Les Philistins adoraient les idoles, les statues de pierre, dans leurs temples. Bien des gens, qui s'appellent Chrétiens, Juifs, ou Bouddhistes, ont peur et accordent puissance aux bactéries, à la grippe, au temps, à la magie, à la sorcellerie, aux mauvais esprits, au cancer, à la vieillesse et à la mort. Pourtant, il n'y a pas de mort, il n'y a que la vie, et l'âge n'est point l'envol des années, mais l'œuvre de la sagesse. Dans un trillion d'années, vous serez vivant quelque part, car Dieu est vie, Dieu ne peut mourir et Sa vie est la vôtre à jamais.

Faites appel à cette puissance

Qui, ou quoi que vous soyez, en dépit de tout signe zodiacal sous lequel vous puissiez être né, vous êtes capable de faire appel à la Puissante Présence Spirituelle qui créa l'univers et qui est Omnipotente, afin qu'Elle vous dirige, vous guide et vous guérisse. Si vous Lui ouvrez votre esprit et votre cœur, Elle vous répondra et restaurera votre âme. Cependant, si vous croyez que Saturne vous est contraire, l'Infini ne peut rien accomplir à travers vous.

Faites confiance à l'Esprit qui vous anime ; tout se transformera, tous les obstacles et les difficultés se dissoudront tout comme la lumière dissout les ténèbres.

Sorcellerie, vaudou et magie

Tous ces mots ne signifient qu'une même chose : le mésusage de la Puissance Spirituelle. Il n'y a qu'Une Seule Puissance-Dieu. Tout le reste est basé sur la suggestion. Or vous avez le pouvoir de rejeter les suggestions et les prédictions négatives des autres. Pensez le bien, le bien s'ensuivra. Marchez dans la conscience de l'amour de Dieu et irradiez envers tous l'amour et la bonne volonté. Peu à peu vous établirez l'immunité contre toute atmosphère négative et toutes les fausses croyances du monde.

Considérez la sorcellerie, la magie noire à la lumière véritable ; voyez-les pour ce qu'elles sont en réalité, rien que l'activité des ignorants de la puissance spirituelle. Il n'y a qu'Une Puissance, et Elle agit dans l'unité et l'harmonie. C'est une puissance affirmative et son usage négatif est détruit par l'usage constructif de cette Toute-Puissance Cosmique.

L'union consciente avec la Source de toute Vie, voilà la position suprême. Tenez-vous à cela et vous n'aurez plus du tout à vous soucier au sujet des suggestions négatives des autres. Souvenez-vous de la réciprocité qui existe entre vous et la Puissance Infinie. La puissance de la suggestion est *une* puissance cachée, mais la Puissance qui crée toutes choses est *la* Puissance cachée qui est Source de toutes choses.

Le juge Thomas Troward dans son livre *La Puissance Cachée*. (5) dit : *« Si quelqu'un est assez méchant et aussi lamentablement ignorant de la vérité spirituelle pour chercher à exercer sur nous le pouvoir de la suggestion maléfique, je le plains. Il n'en tirera rien, car c'est comme s'il se servait d'un lance-pierres contre un torpilleur, voilà tout. Mais pour lui, il en sera tout autrement. »* Il est bien vrai que le mal se retourne contre le mal.

Une grande vérité

« L'enchantement ne peut rien contre Jacob, ni la divination contre Israël ; au temps marqué, il sera dit à Jacob et à Israël quelle est l'œuvre de Dieu ! » (Nombres 23 : 23). Jacob, c'est l'homme qui s'éveille à la Vérité de la Présence Divine en lui-même. Israël celui qui connaît et qui croit à la souveraineté de l'Unique Esprit, à son règne sur sa pensée.
« Mais contre aucun des enfants d'Israël pas même un chien ne remuera sa langue... » (Exode 11 : 7).

---

5. Non traduit en français, mais il existe en français un autre ouvrage de cet éminent ontologue et qui fait autorité : *Introduction à la Vie de l'Esprit* (N.T.).

Nos premières horloges

Un pilote d'avion en Israël me dit que les étoiles sont notre première horloge ; il a raison. Les observatoires navals et l'observatoire de Greenwich, en Angleterre, se servent des étoiles et du soleil pour mettre à l'heure leurs horloges. Les étoiles gouvernent notre monde jusqu'à un certain point, mais non dans un sens astrologique. Dans un planétarium, les astronomes peuvent vous ramener à des milliers d'années avant notre ère, parce qu'ils connaissent la loi qui gouverne leur mouvement, qui est toujours mathématiquement exact et de précision parfaite.

Planter et récolter

Aux temps anciens, les hommes se fiaient à la position des astres pour planter et pour récolter. Lorsque le Bélier apparaissait à un certain endroit, l'équinoxe du printemps était proche. Les astres sont gouvernés par une précision mathématique si systématique, si parfaite qu'ils furent adorés dans l'Antiquité. Lorsque la Balance apparaissait dans un certain point de la voûte céleste, l'équinoxe d'automne était proche ; c'était le temps des moissons et les feuilles caduques tombaient des arbres.

Cycles de vie

Il y a les cycles de l'enfance, de l'adolescence, de la jeunesse, de la maturité et de la vieillesse, et puis il y a les cycles annuels, les cycles des semaines et des mois et ceux des heures. Les cycles de votre vie mentale sont basés sur vos idées, vos croyances, vos opinions et vos convictions qui tournent dans votre conscience-d'être et qui se manifestent selon leur nature.

Le soleil était pour les Anciens le symbole de Dieu. Ils considéraient comme divines ses fonctions relativement à la terre ; le soleil leur rappelait la Lumière véritable et invisible intérieure. Les étoiles représentent celle de la vérité en vous ; elles symbolisent la connaissance, la sagesse consciente et les idées créatrices qui éclairent le ciel de votre esprit, vous donnant la paix, l'harmonie, la joie, l'abondance et la sécurité.

Il est donc insensé d'adorer les étoiles, les planètes, qui ne sont que des masses de combinaisons moléculaires se mouvant dans l'espace. Donnez plutôt votre adoration et toute votre allégeance à l'Intelligence Infinie dans laquelle vous avez la vie, le mouvement et l'être.

4

La Vérité fondamentale

Nous explorâmes à New Delhi l'ancien et le nouveau quartier, la Tombe de Gandhi, la Mosquée Jama, le Fort Rouge, Moonlight Square et bien d'autres lieux historiques et religieux de grand intérêt. Jaipur et le célèbre City Palace, qui abrite à présent un musée dans lequel se trouvent des manuscrits rares, valent bien la peine d'une visite.

Nous eûmes l'occasion de voir le Taj Mahal par une nuit de pleine lune et nous restâmes longtemps silencieux dans la contemplation de sa rare beauté, sa symétrie, son ordre, ses proportions. On l'appelle une des Sept Merveilles du Monde, il fut construit en marbre blanc par l'Empereur Shahjehan pour servir de mausolée à son épouse la Reine Mumtaz Mahal. C'est un symbole d'amour universel. Ses murs, ses minarets, célèbres par leur merveilleux travail de mosaïques sont les témoins de l'habileté mathématique, géométrique des anciens architectes Hindous. Sans aucun doute, ils appartinrent à des guildes antiques composées d'hommes initiés en l'art de créer la beauté et l'Ordre divin dans la pierre et dans le marbre. On peut dire que le Taj Mahal est une histoire d'amour gravée dans le marbre.

Notre visite à Bénarès fut des plus intéressantes. Notre guide nous décrivit de façon remarquable les coutumes religieuses, funéraires, l'histoire des temples les plus célèbres et des mosquées bouddhistes et hindoues. L'idée du présent chapitre me vint quand un membre de notre groupe demanda au guide : « *Pensez-vous que les croyances bouddhistes expriment la Vérité ?* » Le guide répondit : « *Qu'est-ce que la Vérité ? Deux et deux font quatre. Bouddha enseigna la Vérité lorsqu'il dit : — l'ignorance est le seul péché »*. Je pensai que ce jeune homme avait répondu très intelligemment.

Souvenez-vous de ce passage de l'Evangile de Jean : « **Pilate lui dit : Qu'est-ce que la vérité ? Après avoir dit cela, il sortit de nouveau pour aller vers les Juifs, et il leur dit : Je ne trouve aucun crime en lui** » (Jean 18 : 38). Vous remarquerez que la question de Pilate ne reçut pas de réponse. La Vérité c'est Dieu et Dieu est Vérité, et Dieu ne Se peut connaître au sens absolu. Cependant nous pouvons apprendre les lois de notre esprit et penser juste, sentir et agir juste, transformant ainsi notre vie. Les Anciens disaient : La vérité s'apprend en silence, la vérité se sent en silence, la vérité est transmise en silence ; car Dieu demeure dans le silence.

Une dame de notre groupe déclara que le Christianisme est la Vérité, d'autres membres pensaient que c'était le Bouddhisme et un de nos amis Hindous croyait que le Gita contient toute la Vérité. Si quelqu'un déclare que le Catholicisme est la Vérité, sa déclaration est tout aussitôt contestée par un Baptiste ou par un membre d'une autre confession.

Il n'y a qu'une Vérité, une Loi, une Vie, une Puissance, une Substance, un Dieu — le Père de tous, le Principe de Vie — d'où émanent toutes choses. Voilà pourquoi Jésus resta silencieux quand Pilate le questionna. La Vérité est la Silencieuse Présence, le JE SUIS, Dieu en nous tous. Jésus dit : « ...**Je suis le chemin, la vérité, la vie...** » (Jean 14 : 6). JE SUIS est l'Etre, la Vie, la Conscience-d'être, Dieu — L'Esprit, le Soi Originel, sans face, ni forme, ni figure qui est en vous.

Chaque fois que vous Lui mettez une étiquette, vous passez à côté de la Vérité. Comme le veut le vieux dicton qui se perd dans la nuit des temps : « *Quand vous Le nommez, vous ne pouvez Le trouver, et quand vous Le trouvez, vous ne pouvez Le nommer.* » C'est Celui en vous qui n'a pas de nom, qui est sans forme et sans âge. Comment pourriez-vous lui mettre une étiquette ?

Comment pourriez-vous étiqueter l'amour, la paix, l'harmonie, la joie, la bonne volonté, l'inspiration, la beauté, l'honnêteté, l'intégrité ou la justice ? Vous ne pouvez pas dire que ces qualités, ces attributs sont Catholiques, Protestants, Juifs ou Hindous. Pas plus que vous ne pouvez mettre une étiquette sur les principes de la chimie, de la physique, de l'astronomie ou des mathématiques. Tout cela est cosmique, universel et accessible à tous les hommes. Dieu ne respecte pas les personnes.

« ...je reconnais que Dieu ne fait point acception de personnes » (Actes 10 : 34).

Vous êtes dans un monde de contraires

S'il pleut, s'il fait du brouillard un jour où vous partez en voyage, vous direz : *« Quel mauvais temps aujourd'hui »*. Mais le fermier dont la terre souffre de sécheresse dira : *« Quel beau temps »*, et il bénit la pluie et s'en réjouit. Les phases de la vie ne sont pas les mêmes pour tous les hommes, et tout ce que vous dites au sujet de la religion et de la politique a son contraire.

Emerson dans *Compensation* dit : *« La polarité, c'est-à-dire l'action et la réaction, est dans toute la nature ; dans l'ombre et la lumière, dans la chaleur et le froid, dans le flux et le reflux des eaux, dans le masculin et le féminin, dans l'inspiration et l'expiration des plantes et des animaux, dans la systole et la diastole du cœur, dans l'ondulation des fluides et des sons, dans la gravitation centrifuge et centripète, dans l'électricité, le galvanisme et dans l'affinité chimique. Surajoutez du magnétisme à une extrémité de l'aiguille, le magnétisme contraire se produit à l'autre. Si le Sud attire, le Nord repousse. Pour vider ici, il faut condenser ailleurs. Un véritable dualisme divise la nature, de sorte que chaque chose est une moitié qui suggère une autre pour faire un tout, comme esprit-matière, homme-femme, impair et pair, subjectif et objectif, supérieur inférieur, mouvement repos, oui non. »*

Thomas Troward, auteur de nombreux ouvrages sur la science mentale, spirituelle, dit que si une chose est vraie, il y a un moyen d'authentifier sa véracité. Par exemple, un homme dira *« Les fraises me donnent de l'urticaire »*, cependant des milliers de personnes mangent des fraises et n'en souffrent pas. L'homme qui est allergique aux fraises s'est fait à lui-même une loi à ce sujet et cela devient vrai pour lui ; cependant ce n'est point une vérité cosmique, universelle. S'il en était autrement, tous ceux qui mangent des fraises souffriraient du même malaise. Chacune de ces deux déclarations est, à sa façon, exacte. L'homme dont il est question manifeste son rapport personnel aux fraises.

Vous pouvez être transformé

Un des hommes qui faisait partie de notre groupe me dit que la nature humaine ne peut être changée. Puis il s'étendit sur le crime et la sauvagerie qui sévissent dans différentes parties du monde, sur les brutalités et les tortures pratiquées dans les deux camps des récentes guerres. Je lui dis qu'il ne faut pas énoncer des jugements aussi définitifs. Tout prêtre, tout rabbin, tout ministre de la Pensée Nouvelle, tout psychologue, psychiatre, médecin, a vu des changements miraculeux se produire dans un individu. L'auteur du présent livre a vu une transformation complète se produire chez des criminels, des alcooliques, des drogués qui devinrent ensuite bienfaisants pour l'humanité.

Parlant en général, on peut dire que la nature humaine n'a pas beaucoup changé en 2 000 ou 3 000 ans ; mais considérez les milliers qui, à travers les âges, se sont complètement transformés et ont pris la résolution de laisser Dieu diriger leurs vies. Si vous êtes avocat, vous admettez bien que celui de la partie adverse peut trouver d'excellents arguments en faveur de son client. Ses contradictions à tous les vôtres paraissent aussi logiques. Tout de même, le Bouddhiste peut se réclamer de l'excellence de ses croyances, tout comme le théologien Catholique.

La vérité agit toujours

« ...cueille-t-on des raisins sur des épines, ou des figues sur des chardons ? » (Matthieu 7 : 16) ; « ...c'est donc à leurs fruits que vous les reconnaîtrez » (Matthieu 7 : 20).

La Vérité est une et indivisible, car Dieu est Vérité, le même hier, aujourd'hui, demain, à jamais. Bien des personnes sont déroutées et perplexes devant les complexités des conflits théologiques ; elles ont faim et soif de la Vérité qui les affranchira. Les différentes confessions chrétiennes et d'autres religions sont en désaccord entre elles au sujet de leurs dogmes et de leurs rites. Et les enseignements de ces sectes, chrétiennes et autres, sont pleins d'absurdités et d'inconsistances.

La Vérité libère de la peur, de l'ignorance, de la superstition, de la maladie, du manque et des limitations ; elle résout vos problèmes et apporte la paix à l'esprit troublé. Vous rencontrerez, tout autour du monde, des gens qui ne se réclament d'aucune religion et qui, cependant, sont pleins de foi et de confiance dans la bonté de Dieu, dans Ses directives et dans Son amour. Ils ont une paix, une lumière intérieures ; ils sont prospères, pleins de bonne volonté et de joie divine.

La religion est affaire du cœur et non des lèvres. La vraie religion porte les fruits de l'Esprit qui attestent la Vérité. La Vérité guérit toujours. Lorsque vous êtes heureux, joyeux, lorsque vous exprimez la vitalité, la paix, l'abondance, vous révélez les fruits de l'Esprit. Comme il en est au-dedans, il en est au-dehors. Il ne peut rien y avoir dans votre subconscience qui ne se manifeste tôt ou tard dans votre vie.

La loi de la Vie

« ...Si tu peux croire, à celui qui croit tout est possible » (Marc 9 : 23). Que croyez-vous au sujet de la Vie, de Dieu, de l'Univers ? Votre réponse à cette question détermine toutes choses dans votre monde extérieur. Vous êtes l'expression de vos croyances. Apprenez à croire aux lois créatrices de votre esprit. Comprenez que vos pensées sont créatrices. Cessez de croire aux credo, aux concepts sectaires, aux liturgies, aux cérémonies, aux rites.

Ayez conscience de ce que l'Intelligence Infinie répond à votre appel. Croyez en un Dieu d'amour, pour qu'Il vous gouverne, vous dirige, vous guide, qui veille sur vous et qui vous comblera au-delà de vos rêves. Vous n'avez pas à croire au Catholicisme, au Bouddhisme, au Judaïsme, au Shintoïsme ou à l'Hindouisme. Vous n'avez pas à croire aux rites, aux hosties, aux vins, aux statues, aux hommes ni aux saints.

Où est votre foi ?

La Bible dit : « ...Qu'il vous soit fait selon votre foi » (Matthieu 9 : 29). A la question : « Quelle est votre foi ? » certains diront « *Je suis Mormon* », « *Juif* », « *Protestant* », « *Bouddhiste* », etc. La foi est une attitude d'esprit, une manière de penser. C'est la conscience du Dieu Immanent et du pouvoir que vous avez de Lui permettre d'agir dans toutes les phases de votre vie.

Vous avez la foi lorsque vous reconnaissez que tout ce qui s'imprime dans la subconscience va s'exprimer. Répétons-le, la foi n'a rien à faire avec les credo, les dogmes, les rites traditionnels, les formulations, les cérémonies, les croyances doctrinales que prônent les églises. Votre foi, c'est ce que vous croyez dans les profondeurs de votre cœur ; c'est votre conviction intime au sujet de Dieu et de la vie en général.

Qu'épousez-vous émotionnellement, quels sont vos senti-ments profonds à votre sujet, au sujet de vos pouvoirs intérieurs ? Vos croyances subconscientes, vos convictions intimes dictent et gouvernent toutes vos actions conscientes. La Bible révèle la vraie religion en disant : « **Tel un homme pense en son cœur** (son subconscient), **tel il est...** » (Proverbes 23 : 7).

Une vérité fondamentale

Prenez conscience de ce que, au-delà de toutes les religions, il n'y a qu'Un Dieu et Une Vérité. Toutes les doctrines, tous les enseignements, tous les rites sont relatifs à la Vérité. Un homme pourra vous dire : « *J'ai allumé un cierge, j'ai fait brûler de l'encens et j'ai prié dans un temple consacré à Bouddha et ma prière a été exaucée, je suis miraculeusement guéri.* » Ce n'est point le cierge, l'encens, ni l'endroit qui ont fait que la prière de cet homme a été entendue ; c'est à cause de sa croyance subconsciente. Autrement dit, il répondit à sa propre prière. Son subconscient répondit à sa foi aveugle. Voilà la vérité, et non point la raison qu'il donna ; il lui a été fait selon sa foi.

L'éternel changement est à la base de toutes choses

Tout change. Chaque fois que vous avez une idée nouvelle ou un nouveau concept de la Vérité, vous changez physiologique-ment. Vous changez constamment. Tous les onze mois vous avez un nouveau corps physique. Le changement constant est la base de toutes choses. Ernest Holmes, auteur de *Sciences of Mind* (1), me raconta que trois de ses voisins avaient pensé qu'un autre voisin, qu'ils voyaient passer tous les soirs pour se rendre dans un bar, était un ivrogne invétéré. Cependant, un certain soir, ils le virent aller jusqu'à la porte du bistro, il n'y entra pas et n'y revint jamais. Il venait tout à coup de décider qu'il ne boirait plus.

Cela indique que vous ne pouvez parvenir à aucun jugement absolu sur rien en ce monde. Les hommes en question avaient oublié cette grande Vérité « **...Soyez transformés par le renouvellement de votre esprit** » (Romains 12 : 2).

Regarder les deux côtés

Une femme peut venir vous voir et vous dire toutes les raisons pour lesquelles elle veut divorcer. Ce qu'elle dit peut sembler plausible et logique. Un peu plus tard, son mari, ne sachant pas que sa femme vous a consulté, vous vient dire toutes les raisons pour lesquelles il veut, lui, préserver son ménage. Lui aussi peut paraître logique, aussi raisonnable que son épouse dans ses conclusions. Chacun considère la situation à partir de son point de vue individuel.

Très souvent les couples de cette sorte vous diront qu'un conseil conjugal leur a dit qu'il faut composer avec la réalité, ce mot *réalité* les embarrasse ; il est relatif et basé sur l'attitude de la personne envers la vie en général. Il y a, cependant, une Réalité divine qui se réfère à l'Etre Inchangeable que l'on appelle Dieu. Mais le monde dans lequel nous vivons change constamment ses mœurs, ses coutumes, son mode de vie.

Ce que le mari et la femme, dont nous avons parlé, veulent, c'est la paix, l'harmonie, l'amour, la compréhension, la bonne volonté. Si chacun d'eux prie sincèrement pour manifester ces qualités, ou bien ils vont se rapprocher, ou bien ils trouveront séparément leur plus grand bonheur. L'Intelligence Infinie résoudra pour eux leur problème.

---

1. Edité en langue française sous le titre *La Science du mental* (Editions Dangles).

Il y a, à la question du divorce, deux côtés, tout comme il y a deux points de vue opposés à toute proposition, qu'elle soit religieuse, politique, ou qu'elle concerne les rapports humains. Il y a en vous un côté intérieur et un côté extérieur, et il en est de même en toute chose dans l'univers.

Einstein énonça cela succinctement : « *Le monde que nous voyons est le monde que nous sommes* », dit-il. En d'autres termes, votre monde intérieur contient votre penser habituel, vos croyances, vos opinions, votre imagerie mentale, votre endoctrination et votre formation. Sans cesse vous projetez votre état d'esprit sur les gens, les conditions et les événements. Vous regardez les gens et les conditions à travers le contenu de votre imagerie mentale. Si vous regardez à travers les yeux de l'amour et de la compréhension, vous verrez un monde différent et vous réagirez aussi envers les gens et les circonstances différemment.

Il y a deux réalités : le monde extérieur auquel vous réagissez, et le monde intérieur de penser, de sentiment et d'imagerie mentale. Le secret de la réconciliation de ces opposés, c'est de vivre dans la paix et l'équanimité. L'homme ou la femme, qui regardent le monde à travers les yeux de la haine ou du ressentiment colorent tout ce qu'ils voient et entendent de cette attitude d'esprit, et leurs rapports avec les autres et avec les événements ont en général pour résultat le chaos, la souffrance et la misère.

Votre conscience-d'être détermine la qualité de vos rapports avec le monde extérieur et avec les autres. Votre état de conscience c'est la façon dont vous pensez, sentez, croyez ; c'est tout ce à quoi vous consentez mentalement. Votre attitude d'esprit est définitivement et positivement la cause de toutes vos expériences dans la vie. Les autres réagissent différemment à ces expériences selon leurs attitudes, leurs croyances, ce qu'ils acceptent émotionnellement.

Un antique précepte résume cela ainsi : « *Ce que tu vois, homme, tu dois le devenir ; Dieu si tu vois Dieu, poussière si tu vois la poussière.* »

Il était allergique au jambon

Je me souviens du cas d'un soldat de la Première Guerre mondiale qui avait dit à son sergent : « *Je ne supporte pas le jambon ; il me donne une terrible éruption.* » Le sergent répondit qu'aucun règlement n'obligeait à manger du jambon et il s'en alla. Le lendemain, à la fin d'une marche de vingt-cinq kilomètres à travers un terrain difficile, le sergent servit à sa troupe un plat auquel le soldat en question fit largement honneur. Le jour suivant, le sergent lui apprit que le plat de la veille était surtout composé de jambon et il lui fit observer que, néanmoins, il ne souffrait d'aucune éruption. Tout le monde éclata de rire, y compris le soldat.

Il venait d'être guéri d'une croyance fausse. Ne sachant pas qu'il avait mangé du jambon (le sergent l'avait mélangé à beaucoup d'autres ingrédients), le soldat n'eut aucune réaction. Il s'avéra qu'étant enfant, cet homme avait mangé du jambon altéré qui l'avait rendu malade ; sa mère lui avait dit de ne plus jamais en consommer.

Il est clair que cet homme avait une crainte subconsciente ; le jambon de l'armée, qu'il ne savait pas avoir mangé, ne lui fit aucun mal. ·

La propagande et ses effets

De nombreuses personnes me demandent si elles doivent ou non fumer, et ce que je pense du danger du cancer des fumeurs. Je réponds que chacun doit suivre ses croyances au sujet du tabac. C'est une décision personnelle ; celui qui a peur des cigarettes ou de la pipe doit s'en abstenir. Il est fait à chacun selon sa foi. Je connais des personnes qui ont 80 et 90 ans et qui fument des cigarettes depuis 50 à 60 ans sans aucun inconvénient.

L'effet des cigarettes sur différentes personnes est différent, selon leur attitude mentale. Les médecins savent que si des milliers de personnes qui fument des cigarettes souffrent du cancer du poumon, des milliers d'autres qui en fument constamment n'en souffrent pas. Il est stupide de juger péremptoirement et de dire : « *Si vous fumez vous aurez le cancer.* » Tout dépend de la personne en particulier.

Job dit : « **La chose que j'ai beaucoup redoutée m'est arrivée...** » (Job 3 : 25). Il y a une croyance collective au sujet de la nicotine des cigarettes, du tabac et cette croyance nous influence tous. Mais si nous nous tenons au-dessus de l'entendement collectif, nous pouvons en neutraliser les effets. Je pense à un de mes parents qui fumait continuellement et qui atteignit ses 99 ans. Il ne souffrit jamais d'aucun mauvais effet du tabac. Il n'entendit jamais parler de la peur du cancer des fumeurs, de ce qu'en disent aujourd'hui les médecins et les mass media ; il n'en craignit donc pas les effets ; pour lui, fumer c'était la détente ; il en jouissait. Je suis sûr qu'il lui fut fait selon sa foi.

Quelle est votre croyance personnelle ? Suivez votre croyance ; la croyance est le facteur principal de toute cette propagande.

La grande et unique certitude

La seule grande Vérité est que Dieu est Dieu et la Loi, la Loi — le même hier, aujourd'hui et à jamais. Dieu est sans temps, sans changement, sans âge, harmonie absolue, éternel présent !

Une dame, ici à Leisure World, Laguna Hills, me dit qu'elle avait été absolument sûre que son frère, à Chicago, lui donnerait 10 000 $ pour régler une hypothèque. Au téléphone, il lui avait dit qu'il allait lui envoyer son chèque mais, avant de faire ce qu'il avait dit, il était mort d'une crise cardiaque.

Dans ce monde changeant vous ne pouvez être sûr que d'une chose : Dieu ne change jamais. Vous pouvez faire confiance absolue à Sa Présence, à Sa Puissance Infinie, absolue, elle est au-delà du temps et de l'espace, au-delà de tout argument, de toute dissension, de toute dialectique.

Il était constamment perdant

Au cours de ce voyage autour du monde, j'eus une intéressante conversation avec un autre homme. Etant jeune, il avait joué aux courses et constamment perdu ; il avait gaspillé à peu près 2 500 $ sur le champ de courses, croyant avoir trouvé un système. Lorsqu'il perdait, il essayait de se refaire en jouant des sommes de plus en plus importantes. Mais il avait peur ; il continua donc de perdre.

Un jour il joua ses derniers deux dollars sur un « tuyau sûr ». Il perdit et se trouva sans le sou. Soudain, il trouva un billet de 100 $ sur la pelouse, il s'en réjouit fort et se dit que la chance avait tourné en sa faveur et qu'il allait récupérer ses pertes. Son attitude d'esprit se transforma sur-le-champ, il adopta une confiance absolue en sa bonne fortune. En effet, il choisit cinq chevaux qui lui rapportèrent de grandes sommes d'argent. Le jour suivant, il reçut la visite du Service Secret qui lui apprit que son billet de cent dollars était faux ; il avait été identifié par le caissier du champ de courses.

L'explication qu'il donna aux policiers fut acceptée, et, pour la première fois de sa vie, cet homme comprit que c'était sa confiance et sa foi qui lui avaient apporté sa fortune, et non le chiffon de papier faux. Ce fut le point tournant de sa vie. Dès ce moment, il ne pensa plus à faire fortune en dépendant des chevaux ; il fit confiance à l'Eternelle Source qui ne faillit jamais. Cet homme, ayant trouvé cette Grande Certitude, est devenu un conférencier qui parcourt le monde. Il a trouvé la paix, la joie et la force dans ce monde changeant.

« Ceux qui se confient à l'Eternel renouvellent leur force, ils prennent le vol comme les aigles ; ils courent, et ne se lassent point, ils marchent, et ne se fatiguent pas » (Esaïe 40 : 31).

5

L'art de la méditation

Katmandou, capitale du Royaume Himalayen du Népal, le « Shangri La » des touristes, est situé sur les pentes méridionales du puissant Himalaya entre l'Inde et le Tibet. Depuis des siècles, ce pays a été isolé par ses maîtres. Le Népal offre aux voyageurs du monde entier des sites admirables, uniques.

Le Népal est célèbre pour ses beautés, la splendeur panoramique de ses montagnes neigeuses. La ville de Patan est pleine de pagodes, il y a aussi le Temple de Krishna et le Temple d'Or, d'une extraordinaire beauté. Là, nous vîmes un grand nombre d'hommes âgés méditant sur les marches du temple et à l'entrée de diverses pagodes. Ils avaient les yeux fermés et certains semblaient en transe mystique. Ils m'inspirèrent ce chapitre sur la détente et la méditation.

Comment méditer constructivement et facilement

Il n'y a point de mystère dans la méditation. Tout le monde médite, mais pas toujours constructivement. La méditation est aussi naturelle que le fait de manger, de boire, de respirer, etc. L'homme d'affaires, le savant, la ménagère, le chauffeur de taxi méditent tous. Même l'agnostique, l'athée et les gens les plus apparemment matérialistes méditent ; la seule différence c'est qu'ils ne méditent pas, comme celui qui est à la recherche de la vérité, sur les choses spirituelles, sur les vérités éternelles. Pour méditer véritablement il est essentiel de pratiquer la Présence de Dieu.

La vraie méditation spirituelle

La vraie méditation, c'est le fait de faire l'expérience de la Présence de Dieu. Cela est la méthode la plus rapide pour être éclairé, inspiré et absorbé par Ses Vérités, de vivre l'instant qui dure à jamais. Cela signifie tout simplement que l'on s'absorbe en Dieu, sachant, croyant, ressentant profondément que l'Esprit Vivant Tout-Puissant en nous est la seule Présence, la seule Puissance, la seule Cause, la seule Substance, et que tout ce dont nous avons alors conscience est d'être une partie de l'Etre Infini en manifestation. Asseyez-vous tranquillement, détendez votre corps et votre esprit et fixez votre attention sur cette Vérité essentielle ; vous méditez alors véritablement du point de vue spirituel, parce que, mentalement, vous ingérez, absorbez, assimilez cette Vérité tout comme la pomme que vous mangez va entrer dans votre courant sanguin.

Tout le monde médite : constructivement ou négativement

Par exemple, Jean Durand se lève le matin et se met à lire le journal ; il lit les manchettes qui relatent les faits politiques, les crimes, les perturbations internationales. Le voilà tout agité et perturbé par la conjoncture politique. Il est furieux aussi à la lecture de certains jugements judiciaires et fort mécontent de certains articles. Il est si contrarié et si absorbé dans ses récriminations mentales qu'il n'entend pas sa femme lorsqu'elle lui parle.

Voilà une méditation hautement négative. Sachez que tout ce qui nous absorbe, tout ce à quoi nous donnons notre attention est amplifié par notre subconscience. En fait, le journal est impuissant à perturber Jean Durand, à l'irriter ou à lui donner une indigestion ; tout cela est dû à ses propres pensées. Il s'est perturbé lui-même. Il pourrait parfaitement bien lire en toute tranquillité son journal, peut-être écrire constructivement à son député ou à l'édile concerné de sa ville ; mais il n'a pas à se laisser troubler par la lecture des journaux qui n'ont sur lui aucun pouvoir si ce n'est celui qu'il leur confère.

Tout autour du monde les gens méditent sur d'anciennes blessures, sur des contrariétés, des griefs, sur les procès qu'ils ont perdus, sur un accident dont ils ont été victimes, sur des pertes survenues dans le crack du marché boursier en 1929, sur les erreurs qu'ils ont commises, ne sachant pas qu'ils amplifient ces malheurs, qu'ils s'en réinfectent constamment. Si une pensée négative se présente à votre esprit, détruisez-la immédiatement par une pensée spirituelle telle que : *« Dieu est amour et Sa paix remplit mon âme. »*

Si vous restez sur ce que prédisent les prophètes du malheur aujourd'hui, ou si vous vous querellez mentalement avec votre patron, vous faites une méditation de premier ordre pour des résultats négatifs. Ouspensky avait coutume de dire que votre conversation intérieure devient un son solidifié, ce qui veut dire que votre conversation silencieuse, en vous-même, prend toujours forme extérieure. Le penser silencieux et l'imagination, constructifs ou négatifs, prennent forme, fonction, expérience et événement dans votre vie.

Les fruits de sa méditation spirituelle

J'ai reçu une belle lettre d'une femme en Oregon qui avait une tumeur maligne. Elle avait lu *Great Bible Truths for Human Problems* (1) et s'était profondément intéressée aux techniques de la prière qui y sont présentées. Elle se mit à méditer sur la Présence-Dieu, se rappelant que cette Présence Infinie, Guérissante, était en elle et que Dieu est amour sans borne, harmonie absolue, intelligence infinie, omnipotent, omniscient et omniprésent. Elle déclarait ensuite pendant 15 à 20 minutes, deux ou trois fois par jour : *« La Présence Guérissante de Dieu coule à travers moi. L'Amour divin sature tout mon être, Dieu en moi me rend intègre et parfaite à l'instant même. Je rends grâce pour la miraculeuse guérison qui se produit en ce moment. Il en est ainsi. »*

---

1. *Great Bible Truths for Human Problems* par le Dr Joseph Murphy, non traduit en français (N.T.).

Au bout d'une semaine, cette dame sentit que quelque chose s'était produit dans son corps, son chirurgien confirma cette perception intuitive. La tumeur était dissoute, la radiographie ne montrait plus rien. Voilà ce que c'est que la méditation spirituelle ; voilà les résultats qu'on en obtient. Vous vivez dans un monde qui est à la fois subjectif et objectif ; il faut qu'il y ait des résultats heureux dans ces deux phases de votre vie.

Qu'est-ce que la méditation ?

La Bible est pleine de références à la méditation. Le dictionnaire dit que méditer, c'est fixer, c'est maintenir l'attention sur quelque chose ; c'est réfléchir, c'est contempler ce qui doit être accompli, c'est cogiter, étudier, penser. Voilà pourquoi tout le monde médite.

Que dit la Bible ?

Le Psalmiste dit : « **... Il trouve son plaisir dans la loi de l'Eternel, et il le médite jour et nuit ! Il est comme un arbre planté près d'un courant d'eau, qui donne son fruit en sa saison, et dont le feuillage ne flétrit point. Tout ce qu'il fait lui réussit** » (Psaume 1 : 2-3).

« **Reçois favorablement les paroles de ma bouche, et les sentiments de mon cœur, ô Eternel, mon rocher et mon libérateur** » (Psaume 19 : 15).

Comme le dit le Psalmiste, votre bonheur est dans la loi de l'Eternel, et cette loi nous dit : Tu es ce que tu contemples. Tu es ce que tu penses toute la journée. Donne ton attention et ta foi à cette grande vérité : ... « **Tel un homme pense en son cœur, tel il est** » (Proverbes 23 : 7).

Ce sont les idées, les croyances et les opinions imprimées dans votre subconscience qui sont projetées, qui se manifestent sur l'écran de l'espace. Il faut que vous incorporiez les vérités éternelles de Dieu dans vos profondeurs subjectives avant qu'elles puissent agir dans votre vie. Il faut donc que vous pratiquiez la contemplation des grandes vérités de Dieu au plus haut point.

Suivez les injonctions du Psalmiste lorsqu'il dit : « **Que les paroles** (les pensées exprimées) **de ma bouche, et la méditation de mon âme** (le sentiment intime, silencieux de l'âme, votre foi, votre conviction profonde) **te soient acceptables...** (2) » (Psaume 19 : 15).

Autrement dit, dans la vraie méditation spirituelle, il faut que votre cerveau et votre cœur s'accordent sur ce que vous affirmez. En d'autres termes encore : il faut l'accord de votre pensée consciente et de votre subconscient ; c'est alors que se manifeste votre bien (3). Votre pensée et votre sentiment fusionnés représentent l'union en vous-même des éléments masculins et féminins, agents divins ; de cette union naît la joie de la prière exaucée.

Le moment qui dure à jamais

Lorsque je parlai de la méditation au cours de ce voyage en Inde, un homme qui avait été un alcoolique invétéré et qui s'était drogué (il avait pris de temps en temps de la cocaïne, et il était tombé dans la déchéance au point de devenir pourvoyeur) raconta qu'un jour il avait rencontré un saint homme (il y en a environ deux millions qui vont à travers le pays en Inde). Ce saint homme lui dit que tout ce qu'il avait à faire, c'était de tranquilliser les rouages de son esprit deux fois par jour et d'affirmer : *« La paix, la beauté, la splendeur et la lumière de Brahma coulent à travers tout mon être, purifiant, nettoyant, guérissant, restaurant mon âme. »*

Il suivit ces instructions, comprenant qu'il allait activer et ressusciter les qualités et les pouvoirs de Dieu résidant dans ses profondeurs subjectives. Il continua de méditer ainsi matin et soir et, au bout de quelques semaines, tandis qu'il méditait un soir, tout son esprit, son corps, et la pièce même dans laquelle il se trouvait, tout fut embrasé de lumière, il en fut un instant aveuglé, comme Paul sur le chemin de Damas. En même temps, un sentiment d'extase et de profonde joie s'empara de lui, un sentiment d'union avec Dieu et avec le monde entier. Ce sentiment, dit-il, fut indescriptible.

---

2. Traduction exacte du texte anglais (N.T.).
3. A condition, bien entendu, que votre accord soit constructif, positif (N.T.).

En fait, cet homme avait fait l'expérience de ce que les anciens mystiques appelèrent « *Le moment qui dure à jamais* ». Il fut complètement guéri et il enseigne à présent aux autres à vivre une vie nouvelle. Cet homme avait sagement dirigé son esprit — telle est la vraie méditation.

La méditation façonne votre avenir

Vous êtes ce que vous méditez toute la journée. Le docteur David Seabury, qui se spécialisa dans les techniques de Quimby (4), me dit que lorsqu'il exerçait à New York, un homme lui avait demandé de venir voir sa femme, paralysée à la suite d'un choc émotionnel. Le docteur Seabury diagnostiqua en effet une paralysie psychologique. Il conseilla à sa patiente de s'imaginer en train de faire ce qu'elle ferait si elle était en parfaite santé, c'est-à-dire conduisant sa voiture, montant à cheval, jouant au golf et vaquant aux soins de sa maison.

Elle pratiqua cette discipline pendant 15 à 20 minutes quatre ou cinq fois par jour, régulièrement et systématiquement. Son médecin lui avait expliqué que toute image entretenue dans son esprit avec foi et enthousiasme ne manquerait pas de s'objectifier. Au bout d'un mois, le docteur Seabury fit en sorte que les infirmières s'absentent un moment, à une heure prévue, et il dit à sa patiente que son fils, qui se trouvait en Inde, allait lui téléphoner. Tout cela avait été organisé auparavant avec le fils.

A midi précis, le téléphone se mit à sonner, il avait été placé intentionnellement hors de sa portée ; néanmoins, cette femme se leva et marcha jusqu'à l'appareil ; elle était guérie.

Pendant un mois elle s'était beaucoup occupée à fixer son esprit sur la marche, l'équitation, etc. Elle avait concentré son énergie mentale, spirituelle dans un but spécifique : marcher à nouveau. Ses images mentales avaient été vivifiées par sa foi, sa confiance dans sa Puissance intérieure. Cette femme avait véritablement médité. Alors, lorsqu'elle entendit la sonnerie du téléphone, sachant que son fils devait l'appeler à cette heure-là, le vif désir d'entendre sa voix s'empara d'elle et l'Esprit Infini répondit en conséquence ; ses méditations portèrent leurs fruits.

---

4. Dr Phineas Parker Quimby, père de l'ontologie moderne (N.T.).

Ses images-pensées furent le médiateur entre le monde invisible de l'Esprit (Dieu) et sa manifestation physique.

Méditation transcendantale

Emerson fut un transcendantaliste et il se guérit lui-même de la tuberculose en méditant sur les beautés et les splendeurs de la nature. Il écrivit un magnifique chapitre à ce sujet : *« En traversant une lande enneigée, au crépuscule, sous un ciel nuageux, sans penser à quelque bien particulier que ce soit, j'ai eu conscience d'une parfaite joie de vivre. J'ai senti que les courants de l'Etre Universel circulent à travers moi ; je suis une partie intégrale de Dieu. »*

En méditant et en écrivant la beauté, l'ordre, la symétrie de toute la nature, en contemplant la splendeur des étoiles, Emerson provoqua une transformation moléculaire dans son corps. Sa contemplation transcenda ses sens physiques tandis qu'il demeurait dans le sentiment de l'Unique, dans Sa beauté, en lui-même et dans toute la nature. Il pratiqua ainsi la vraie « méditation transcendantale ».

Le mantra Om

En Orient, le mot « Om », qui, dans notre Bible, devient JE SUIS, signifie Etre, Vie, Dieu, Conscience-d'être, Esprit Tout-Puissant. Les Orientaux répètent et psalmodient ce mot « Om ». Faites de même ; répétez-vous à maintes et maintes reprises *« JE SUIS »* ; vous entrerez dans une grande paix, une grande tranquillité.

Un « mantra » (5), ce peut être un verset de la Bible, un cantique ou ce mot « Om », JE SUIS, répété de nombreuses fois. Les premiers mots du 23e Psaume : **« L'Eternel est mon berger »**, est un excellent mantra. Il est nécessaire de comprendre la signification de ce que vous affirmez et non de répéter sans bien comprendre. Sans signification, vos répétitions ne vous serviront de rien. Si vous voulez croître spirituellement, il faut que vous

---

5. Affirmation (N.T.).

sachiez bien ce que vous faites et pourquoi. Dans votre verset, votre mantra, votre parole, il faut la signification et le sentiment.

Servez-vous pendant 15 à 20 minutes du mot « paix » ; vous serez détendu, calme, serein. Autre merveilleux mantra : *« Dieu est amour. »* Un homme d'affaires me dit qu'un professeur de psychologie lui avait conseillé de répéter les mots « Coca Cola » pendant 20 minutes tous les jours. Il en résulta, me dit-il, que sa tension artérielle redevint normale, sa digestion meilleure et qu'il se sentit détendu et plus paisible. Ce psychologue avait voulu lui montrer que n'importe quel mot, sans cesse répété, produirait la détente de l'esprit et du corps, avec, pour résultat une circulation et une digestion meilleures et un accroissement d'énergie.

Vous pouvez prendre un mot, tel, par exemple que « intuition », le répéter et obtenir un résultat semblable à ce que nous venons de découvrir ; mais cela ne vous donnera pas une dimension spirituelle, car pour méditer spirituellement, il faut s'approprier de plus en plus sa divinité, devenir un homme de Dieu.

Nettoyez votre esprit

Pour pouvoir bien méditer spirituellement, il faut d'abord vous pardonner complètement vos pensées négatives et prendre la résolution de ne plus jamais les entretenir. Il faut, de plus, pardonner à chacun en irradiant envers lui l'amour fraternel, la bonne volonté, lui souhaiter toutes les bénédictions de la vie. Vous saurez que vous avez vraiment pardonné, lorsque vous serez à même de penser à ceux auxquels vous aurez donné le pardon sans plus ressentir aucune gêne, en demeurant en paix. Verseriez-vous de l'eau pure dans un vase malpropre ? Le verre c'est votre esprit. Ne vous attendez pas à ce que l'Esprit Saint coule à travers un esprit contaminé. Le ressentiment envers autrui, la condamnation de vous-même, l'hostilité envers quiconque et la mauvaise volonté empêcheront le courant du bien dans votre vie. Méditez correctement : **« Lorsque vous êtes debout faisant votre prière, si vous avez quelque chose contre quelqu'un, pardonnez... »** (Marc 11 : 25).

Le chemin sans effort

La méditation c'est la contemplation intérieure. Ce que nous comprenons, nous le faisons naturellement ; nous nous forçons à faire ce que nous ne comprenons pas. Les étudiants en ontologie disent si souvent à leurs maîtres qu'ils se sont efforcés sans résultat. C'est que l'effort mène à l'échec. La vraie méditation en est toujours exempte. La tension, l'effort, l'usage de la force, tout cela est fatal et ne conduit qu'à la déroute.

Un excellent moyen à suivre pour tranquilliser l'esprit est celui-ci : imaginez que vous êtes au sommet d'une montagne, contemplant un lac. Dans sa calme surface vous voyez le ciel, les étoiles, la lune, les choses qui sont au-dessus de la terre. Si la surface du lac est troublée, les choses que vous voyez sont brouillées, indistinctes. Il en va de même en vous si vous ne savez vous tranquilliser, être en paix.

La réponse à la prière ne vient qu'à celui qui demeure en toute tranquillité dans la joie d'avoir déjà reçu ce pourquoi il prie. On peut dire que la méditation c'est l'intériorisation de la conscience-d'être ; c'est un pèlerinage dans la Présence Divine.

Méditer une demi-heure par jour sur les idéals, les buts, les ambitions vers lesquels vous tendez vous transformera. En quelques mois, silencieusement, doucement, la connaissance de ce que Dieu est en vous vous possédera ; vous saurez que l'Esprit Tout-Puissant se meut en votre faveur et que ce que vous aspirez à être, à posséder, à accomplir est déjà un fait d'acceptation mentale.

Cet état est activé par la joie acceptée de l'accomplissement, celui qui le comprend n'est plus soucieux, anxieux ; il est sans appréhension. Il ne, demande pas l'avis des autres, il sait ce qu'il convient de faire. Son subconscient le pousse à faire ce qui est nécessaire pour que s'accomplisse son projet.

Si, après avoir prié, on se sent encore inquiet, plein de doute, si l'on discute en soi-même sur les mesures qui doivent être prises, cela indique que l'on n'a pas fixé dans son subconscient ce que l'on désire. « **Je vous le dis, parmi ceux qui sont nés de femmes, il n'y en a point de plus grand que Jean le Baptiste. Cependant, le plus petit dans le royaume de Dieu est plus grand que lui** » (Luc 7 : 28). Ce qui signifie que l'homme qui sait prier efficacement, qui touche la Réalité en cultivant le calme intérieur, est plus grand que l'homme le plus sage aux yeux du monde.

La plupart des hommes vivent extérieurement. Le sage sait regarder au-dedans. Les disciplines, pour ce faire, s'appellent « méditation » et le détachement en est la clé ; c'est-à-dire le fait de se couper complètement de toutes les croyances, de toutes les opinions du monde pour se fixer silencieusement sur notre état idéal. C'est cet « effort sans effort » qui nous mène paisiblement vers l'accomplissement. Le détachement ne signifie point que nous ayons à abandonner nos biens terrestres qui sont nécessaires à notre vie, mais que nous nous libérions de tout sentiment possessif, comprenant que tout est à Dieu et que nous sommes ses gérants en nous servant sagement, judicieusement et constructivement de ces biens. Ce n'est pas de nos biens qu'il faut nous détacher, mais de l'attachement qui nous limite à un point de vue humain en toutes choses.

Sois tranquille et sache que je suis Dieu (Psaume 46 : 10)

Tranquillisez votre esprit et prenez conscience de ce que le « JE SUIS » en vous est Dieu, Unique Présence, Unique Puissance. La tranquillité ce n'est point seulement la quiétude ; c'est le résultat du fait que les causes de ce qui était discordant dans la vie intérieure sont éliminées. Il ne peut plus y avoir de dissonance ; lorsque l'homme rentre en lui-même, il doit trouver une paix parfaite et durable.

Celui qui sait que Dieu est en lui vit dans un monde qui est toujours paisible. Celui qui l'ignore, vit dans une succession de conditions malheureuses. Il s'agite et se désole au sujet de choses qui, vues convenablement, ne lui occasionneraient pas un instant d'inquiétude.

Il faut que nous méditions chaque jour sur la beauté, l'amour et la paix au point de sentir que ces qualités ressuscitent en nous. En méditant sur la sagesse, la vérité, la beauté divines, nous naîtrons à nouveau ; nous nous éveillerons spirituellement.

Avancer intérieurement

En avançant intérieurement, en méditant sur le JE SUIS, Dieu en lui, le chercheur trouve le Réel. Il comprend que cette chose que l'on appelle le corps c'est simplement des ondes de lumière, et que cette terre sur laquelle nous sommes est lumière aussi. La vie extérieure devient le rêve et la vie intérieure s'éveille. Jusqu'à ce qu'enfin l'homme s'immerge dans l'Infini. Soudain, l'homme qui médite s'aperçoit qu'en s'intériorisant il a trouvé l'univers ; que le soleil, la lune, les étoiles et les planètes sont en lui. Pour la première fois, il sait que les planètes sont des pensées, comme les soleils et les lunes ; que sa propre conscience d'être, sa « soïté » JE SUIS, est la réalisation qui les soutient tous ; que temporairement dans l'espace se meuvent les rêves du rêveur ; que les mondes, les soleils, les lunes et les étoiles sont les pensées du Penseur. Dieu médite, et nous sommes Sa méditation. Dieu médite sur Ses propres mystères.

Ce voyage intérieur mène enfin au Nirvana, au Réel ; il conduit l'homme hors du sentiment du petit « Je », à la réalisation de Dieu Immanent, le Moi Eternel. L'esprit du mystique, de celui qui médite, trouve la paix et la force d'avancer. La pratique de la discipline de la méditation confère de la beauté, de l'amour, de la paix, de la grâce et de la dignité à chacune de ses impulsions, de ses attitudes, à chacun de ses actes.

Demeurons sur ces lignes écrites par le doigt de Dieu, l'Ancien des Jours, qui nous viennent du fond des âges, Sagesse Infinie : « *JE SUIS la Source de toute existence, la continuation et la fin. JE SUIS le germe. JE SUIS la croissance. JE SUIS la caducité. Je projette toutes choses et toutes créatures. Je les soutiens tandis qu'elles se tiennent encore au-dehors, et lorsque le rêve de la séparation d'avec Moi se termine, je les fais revenir à Moi. JE SUIS la Vie, la Roue de la Loi, le chemin qui mène à l'au-delà. Il n'y a rien d'autre.* »

⟹ Détente ⟸

Voici une très ancienne technique de détente pratiquée en Inde, au Népal et dans d'autres pays :

1) Tenez votre poitrine, votre cou et votre tête dans une ligne aussi droite que possible.
2) Respirez par le nez en comptant mentalement six battements de votre cœur.

3) Retenez votre respiration pendant trois battements.

4) Expirez par le nez pendant six battements.

5) Laissez vos poumons vides d'air pendant trois battements.

6) Répétez cet exercice aussi souvent que vous le désirez ; vous n'en ressentirez aucun malaise.

Avec un peu de pratique, le rythme sera parfaitement établi sans que subsiste la nécessité de compter. C'est alors que toute tension, tout effort disparaîtront et la complète détente en résultera.

Par la suite, vous serez à même d'exécuter parfaitement cet exercice en marchant, faisant de chaque pas un compte rythmique. Cependant, au début, et surtout pour les personnes qui vivent dans les villes où la marche dans les rues est constamment interrompue par la circulation automobile, il est préférable de le faire assis ou couché.

En plus de la réaction physique à cette respiration rythmique, il y a une réponse spirituelle. A chaque inspiration vous pouvez imprégner votre subconscient de quelque idée que vous voulez. Il est important de se rappeler que l'idée que vous entretenez doit être pratiquée simultanément avec la respiration. Dans la détente, le subconscient s'imprègne mieux, plus facilement. Par exemple, si vous êtes triste ou déprimé, en respirant pensez : *« JE SUIS heureux »*, et sentez ce que vous pensez. Souriez. Cet exercice peut être répété de vingt-quatre à cent fois à la fois et aussi souvent que vous voulez.

Apprendre à respirer rythmiquement

Lorsque nous respirons ainsi, rythmiquement, l'effet est tel sur le système nerveux que toute tension disparaît. Il est bien connu que du point de vue physiologique, la respiration profonde, diaphragmatique, est très bénéfique à tout l'organisme. La sensation de bien-être qui fait suite à une profonde respiration favorise l'acceptation d'une idée nouvelle.

Au cours de ces exercices de respiration, nous devons nous visualiser (6) tels que nous aspirons à être, pleins de vigueur et de

---

6. Pardon pour cet inévitable anglicisme (N.T.).

santé. Le rythme régulier de la respiration provoque un stimulant analogue à celui qu'exerce tout rythme, tel celui de la musique et de la danse qui ont une influence calmante, apaisante. Ce rythme tend à immobiliser l'attention et à produire la détente.

Guéri de l'asthme

En conversation avec une dame âgée à Katmandou, elle me dit que pendant plusieurs années, elle avait souffert de crises d'asthme, jusqu'à ce que le prêtre d'un temple lui ait donné une formule spirituelle qui l'avait guérie de cette affection. Cet exercice était le suivant.

Elle s'asseyait tranquillement et se mettait à respirer lentement. A chaque inhalation, elle affirmait silencieusement, « *JE SUIS la santé parfaite* ». A chaque expiration, « *Dieu est ma santé* ». Elle continuait ainsi pendant dix à quinze minutes, le matin, à midi et le soir.

En deux semaines, cette personne fut guérie ; elle est en parfaite santé et pleine d'enthousiasme dans sa jeunesse de quatre-vingts ans.

Votre corps se transforme constamment

L'homme est un être rythmique. Notre corps comme toutes choses dans l'univers est soumis à des lois rythmiques. Les Anciens disaient : « *Chaque atome dans l'espace danse au rythme des dieux.* » L'univers est simplement une note, un son de Dieu ; mais chaque note contient un nombre infini de vibrations. Tout ce que nous voyons vibre, rien dans la nature n'est dans un absolu repos. Seul Dieu est immobile. La nature est naissance et activité de Dieu, l'Unique Se manifestant d'innombrables façons. Dès le moment où les formes apparaissent dans le monde, elles commencent à changer ; et hors d'elles apparaissent d'autres formes, et ainsi de suite *ad infinitum.*

Les formes sont simplement des apparences ; elles viennent et s'en vont. De même, le corps de l'homme change constamment. La science nous dit que tous les 11 mois l'homme a un corps nouveau. Les cellules du corps meurent sans cesse et sont remplacées par des cellules nouvelles. *Si l'homme spiritualise ses pensées, les cellules de son corps s'harmonisent et tout son être se transforme en vitalité et en intégrité* (7).

En quelques minutes, en quelques secondes, la chimie du corps se transforme, de sorte que, dans quelques mois, à peine un seul atome, un électron, qui le compose existera. Tout est vibration, et le changement constant se répand dans l'univers. Le battement de votre corps suit un certain rythme ; de même que le flux et le reflux de la marée.

Cessez de blamer les autres

Il faut comprendre que la cause de la plupart des échecs de nos prières est le penser désordonné et le manque de contrôle émotionnel. Il est important d'observer que nous trouvons la même loi opérant dans l'attraction magnétique des pulsions de la peur, de la jalousie, de la colère, du désespoir (qui sont responsables de la plupart des faillites et des frustrations dans la vie) que nous trouvons dans l'ineffable émotion de l'amour. Un principe unique, une force identique agit également dans le succès comme dans l'échec.

La peur engendre des troubles et des tribulations inévitables. Manifestations et expériences diffèrent selon l'attitude émotionnelle et l'humeur de l'individu. Et l'on peut bien dire que toute maladie a son origine dans la frustration émotionnelle. L'homme est le produit de ses émotions et de ses humeurs.

La tendance de beaucoup de personnes est de s'en prendre aux autres pour les circonstances malheureuses ou pour les échecs dans leur vie ; de s'en prendre à leur hérédité, à leur environnement, au manque d'opportunités. Cette attitude d'esprit est parfois un baume temporaire qui calme un moral en déroute, mais cela n'élimine pas les causes de la souffrance et de l'affliction.

---

7. Nous soulignons (N.T.).

Le monde est un miroir

Notre monde est un miroir qui reflète notre attitude mentale prédominante ; il nous renvoie notre image. Nous n'aimons pas toujours ce que nous y voyons ; cependant, nous ne prenons pas régulièrement et systématiquement l'initiative pour procéder à un changement de cette image. Si nous cédons aux tendances négatives, nous ne tardons pas à nous trouver face à des conditions d'une vibration similaire par le fait que le semblable attire le semblable. Telle est l'action parfaite de la loi de cause et d'effet. Constamment, nous nions que tout provient d'une cause, et par un prodigieux aveuglement, nous cherchons à changer l'effet.

Un éclair de jalousie en nous va indubitablement nous attirer des situations dans lesquelles d'autres jaloux vont apparaître, soit au foyer, dans les affaires ou dans nos rapports sociaux. Très souvent nous entendons des personnes dire que ce qu'elles détestent le plus c'est la jalousie. Si nous observons leurs réactions, nous nous apercevons que cette faute est en elles. Ce que nous pensons, ce que nous sentons trouve son affinité dans notre monde extérieur, trouve sa ressemblance.

Regarder en nous-même

Il nous faut apprendre à ôter la poutre dans notre propre œil en nous observant, en nous examinant ; nous parviendrons à ne plus voir la paille dans l'œil de notre frère. Quand nous voyons des fautes dans les autres, regardons en nous-même ; nous les y trouverons, si notre examen est sans préjugé, cachées dans les profondeurs de notre propre esprit.

Les attitudes transformées transforment tout

Si nous ne parvenons point à atteindre nos buts, si tous nos efforts ne rencontrent que murs de pierres, il faut regarder en nous-même pour savoir pourquoi. Pour que s'effectue un changement de circonstances et de conditions dans notre vie, il faut un changement de notre attitude mentale, une acceptation mentale dominée par le sentiment du succès en toutes choses. Pour réussir, il faut comprendre que nous sommes nés pour réussir et que l'Infini qui nous anime ne peut faillir, que nous pouvons donc avoir foi dans notre réussite en effaçant de notre esprit toute pensée discordante. L'intensité soutenue de notre foi va s'imprimer dans notre subconscient. L'obstacle au succès se produit lorsque nous permettons à notre ego de créer des bornes autour de notre mentalité.

Quelques questions

Il convient de se demander si nous ne recherchons que le succès personnel et la louange d'autrui ; ou si nous nous intéressons sincèrement à servir l'humanité, à faire en sorte que le monde soit meilleur à chacun. Ne cherchons-nous que notre bien-être personnel ou bien nous efforçons-nous de bien faire ce que nous faisons ? Souhaitons-nous être un Emerson, un Lincoln, un Edison, un Pasteur, contribuer au bonheur de l'humanité, ou ne cherchons-nous que notre propre agrandissement dans la puissance, la fortune, la réputation, la montée sociale ?

Il faut nous servir de nos dons, de nos talents au profit de tous. Hésiter, temporiser, résulte d'un manque d'idéal. Nous entendons certains dire : *« Je ne fais que tourner en rond. »* Celui-là attend que quelqu'un survienne qui lui montrera à se tirer de ses difficultés. Il manque de stabilité, ne sachant pas que l'Intelligence Infinie est en lui et que, s'il lui fait appel, elle le guidera et lui révélera la réponse qu'il attend. C'est à lui de dire : **« Parle, Eternel ; car ton serviteur écoute »** (I Samuel 3 : 9).

6

Les vérités antiques

Je visitais Bangkok, cité féerique de temples et de palais, pour la troisième fois, et je remarquai un grand nombre de changements, la plupart heureux. Tout comme les Thaïs, nous allâmes au marché en bateau. Glissant le long des « klongs » (canaux) vers le marché flottant, nous vîmes des bateaux tout chargés de légumes et de fruits.

Nous observâmes aussi avec intérêt les moines aux robes safran, sortis dès l'aube pour demander l'aumône pour leurs bols de nourriture. Nous fûmes fascinés par le Temple de l'Aurore et par beaucoup d'autres temples et palais avec leur indescriptible variété de Bouddhas, certains en or massif, d'autres allongés, et celui qui est taillé dans l'émeraude ! Le Temple du Bouddha d'Or contient le plus grand, il mesure dix pieds de haut et pèse cinq tonnes et demie. Tout cela représente beaucoup d'or !

Le guide nous fit une intéressante conférence sur le Bouddhisme ; il nous parla des nombreuses guérisons qu'obtiennent ceux qui prient et font leurs offrandes dans ses temples. Puis un membre de notre groupe parla du Sphinx et me demanda ce que j'en pense du point de vue religieux. L'idée m'en vint que cela pourrait être un bon titre pour une section de ce livre.

Le sphinx et vous

« Quant à la figure de leurs faces, ils avaient tous une face d'homme, tous quatre une face de lion à droite, tous quatre une face de bœuf à gauche, et tous quatre une face d'aigle » (Ezéchiel 1 : 10).

Dans l'antique mythe grec, le Sphinx posait à tous ceux qui le venaient voir une énigme, et ceux qui ne pouvaient pas répondre mouraient. L'énigme était celle-ci : *« Qu'est-ce qui marche à quatre pattes, à deux pattes et à trois pattes ? »* La réponse était : l'homme, parce qu'il marche à l'aide de ses mains et de ses pieds enfant, puis debout sur ses pieds, jusqu'à ce qu'il ait besoin d'une canne quand il est très âgé et faible.

Cependant, cette explication n'est pas exacte. La signification profonde est la suivante : il faut admettre que la plupart des membres de la race humaine marchent toujours à quatre pattes, c'est-à-dire qu'ils sont immergés dans l'entendement de la masse et gouvernés par la loi des moyennes. L'entendement de la masse représente les pensées, les sentiments, les croyances, les craintes, les superstitions, les passions, les préjugés et les fausses croyances de quatre milliards de gens.

Il y a, bien entendu, un grand nombre de personnes à travers le monde qui prient scientifiquement et qui versent, dans le collectif inconscient de l'entendement de la masse, des pensées constructives et harmonieuses ; cependant elles sont la minorité. Chacun doit donc se demander honnêtement : est-ce que je pense personnellement, ou bien est-ce l'entendement de la masse qui pense en moi ? Penser, c'est comparer. Choisissez des pensées basées sur les vérités éternelles.

Pensez à ce qui est vrai, noble, beau, divin ; vous pensez alors convenablement. S'il y a dans votre penser la crainte, le souci, l'anxiété, c'est que l'entendement de la masse pense en vous. Des millions d'êtres ont oublié, ou ignorent complètement les lois de l'esprit, la façon dont l'Esprit agit dans l'homme.

L'animal à quatre pattes, c'est l'homme sensuel qui ne vit que pour manger et pour jouir des plaisirs de la chair ; c'est l'homme matériel qui ne croit que ce qu'il voit et qui pense que sa sécurité réside dans l'accumulation des richesses et des choses de ce monde. C'est l'homme qui a oublié d'accumuler des trésors dans le ciel, par la contemplation des vérités de Dieu au plus haut sommet (1).

Symboliquement parlant, les hommes et les femmes n'abondent pas qui marchent debout, ayant abandonné les

---

1. Allusion à Matthieu 6 : 19 (N.T.).

propensions, les tendances animales ; et parmi ceux qui ont acquis la maturité spirituelle, seule une minorité existe sur terre qui s'appuie sur l'intuition, c'est-à-dire sur l'inspiration du Moi Supérieur.

Le symbolisme de la Carte du Tarot « La Roue de la Fortune » est une adaptation de la vision décrite dans le premier chapitre d'Ezéchiel, qui est considéré comme étant l'un des chapitres les plus occultes de la Bible — les quatre animaux sacrés et les roues dans les roues... « **Et toutes les quatre avaient la même forme ; leur aspect et leur structure étaient tels que chaque roue paraissait être au milieu d'une autre roue** » (Ezéchiel 1 : 16).

Les quatre roues indiquent les quatre plans : spirituel, mental, émotionnel et physique ; ou les quatre stages d'une idée : la Conscience-d'être (le JE SUIS), le désir, le sentiment de sa réalité, et la manifestation ; les quatre stades d'une semence : la semence, le sol, l'essence créatrice et, enfin, la plante.

Symboliquement, l'homme, le lion, le bœuf et l'aigle de la Bible représentent les quatre signes fixes du Zodiaque : Taureau, Lion, Scorpion et Verseau. Ces quatre représentent aussi les quatre lettres du nom Jéhovah, I.H.V.H. La première lettre, Yod, signifie Dieu, JE SUIS, c'est-à-dire la Conscience-d'être inconditionnée, l'Esprit, la Source de toute vie. La seconde lettre, HE, représente votre désir, l'image-pensée dans votre esprit, votre image mentale clarifiée. La troisième lettre, Vau, symbolise le sentiment, l'amour, l'émotion ; c'est-à-dire que vous vous mettez tout entier dans votre idée et qu'ainsi vous lui donnez de la réalité. La quatrième lettre, HE, est la manifestation de ce que vous avez imaginé et senti comme étant subjectivement vrai. C'est ainsi que toutes choses s'élaborent dans ce monde.

Tous ces symboles se réfèrent à la constitution quadripartite de l'homme connue également sous le nom des quatre bêtes de la Révélation (2). Le Lion représente la Puissance spirituelle. Le Taureau, la bête de somme, c'est le labeur de notre désir qui laboure notre esprit et dépose notre image-pensée dans notre subconscient. Le Verseau c'est le porteur d'eau. L'eau symbolise

---

2. Le Livre de l'Apocalypse (N.T.).

les vérités psychologiques ; cela signifie que nous méditons sur notre désir en versant de l'eau, du sentiment, sur notre idéal. Nous imaginons l'heureux accomplissement, nous lui demeurons fidèle. Le Scorpion (l'aigle) symbolise l'imprégnation de notre subconscient, l'accomplissement. Ces quatre signes fixes du Zodiaque peuvent également s'expliquer ainsi : Conscience-d'être, Esprit (JE SUIS), désir, sentiment de sa réalité, et réalisation.

Comment tester votre désir

Dans tout être humain il y a la pulsion vers la croissance et l'expansion. La Vie cherche à s'exprimer à travers vous. Votre désir de donner plus de vie, plus d'amour, de vérité et de beauté est louable et désirable. Votre désir d'être plus grand que vous ne l'êtes présentement est un désir normal et naturel. Par exemple, si vous êtes un musicien, vous aspirez à faire une musique merveilleuse qui transporte l'âme des hommes. Tout désir qui contribue à votre santé, à votre bonheur, à votre paix, à votre bien-être est bon, très bon ; tous les désirs qui contribuent à votre expansion spirituelle et mentale sont de Dieu.

Votre désir ne doit jamais être celui de prendre avantage sur les autres, ou de s'opposer de quelque façon que ce soit au bien-être ou à la croissance d'un autre. Swedenborg dit : « *L'essence de l'enfer c'est le désir de dominer les autres.* » Désirez donner toujours plus de vous-même, d'amour et de bonne volonté. Plus vous donnez, plus vous recevez. Désirez donner toujours davantage de la Force-Vie qui est en vous. Versez de la vie et de l'amour sur vos idéaux qui sont constructifs.

Tout ce qui contribue à votre bien-être, à votre succès, à votre bonheur est nécessairement une bénédiction pour les autres, puisque nous sommes tous un. Plus vous donnez de bonne volonté, de gaieté, de joie aux autres, plus vous en avez. Votre désir de richesse, de promotion, d'expansion, que ce soit dans les affaires ou dans votre profession, est normal et naturel. Mais ayez bien soin d'en attendre la réalisation de Dieu, source de toutes bénédictions, et non des hommes.

Demandez votre bien dans l'Ordre et la loi divine. Il y a pour sa provenance, des millions de moyens, mais Une Seule Source. Allez toujours à la Source pour tout ce que vous voulez. La tendance intrinsèque de l'être est celle de donner. Si donc vous avez un doute sur la nature de vos désirs, faites le test de leur qualité en matière du don. L'accomplissement de votre désir contribue-t-il à votre bien-être ? Vous permettra-t-il d'exprimer plus de vie, plus d'amour, plus d'énergie ?

L'Energie Divine, nous dit l'Evangile, est venue sur terre afin que nous puissions avoir la vie plus abondante « ... **Je suis venu pour qu'ils aient la vie et pour qu'ils l'aient plus abondante** » (Jean 10 : 10). Le désir de donner de vos talents, de vos capacités, de votre amour, de votre bonne humeur, de votre cordialité, de votre bonne volonté, ne vous décevra jamais. Tout cela est soutenu par la vérité antique : *« Plus vous donnez, plus vous avez. »*

Votre désir « d'être » le grand guérisseur (3), le grand médecin, le grand enseignant, le grand chanteur, votre désir de vous exprimer au plus haut de votre pouvoir et d'éclairer tous ceux qui vous entourent est divin.

Dieu habite tous les hommes

Cependant, certains expriment davantage leur Divinité que d'autres. Même celui qui échoue, même celui qui tombe, ne peut perdre sa Divinité. Elle est intouchable. Le plus misérable clochard que vous voyez dans la rue est une expression, une manifestation de Dieu, et rien ne peut arrêter son éventuel épanouissement.

Jésus enseigna cela, en dépit des balivernes de l'enfer éternel que ses prétendus disciples ont fait de ses enseignements. Il ne critiqua et ne fustigea personne, hormis les hypocrites. Il n'hésita pas à fréquenter ceux que les hypocrites appelaient mauvais sujets. Pas plus que ne le fit Bouddha. Tous deux savaient qu'en tout homme, qu'il soit saint ou malfaiteur, se trouve la Présence de Dieu.

Exaltez Dieu en vous-même. Faites-le bien des fois par jour. Saluez aussi la Divinité dans chaque personne que vous rencontrez. Tandis que vous le ferez, la splendeur de Dieu brillera

---

3. Nous rappelons à nos lecteurs qu'en anglais « guérisseur » n'est nullement péjoratif mais, au contraire, laudatif (N.T.).

de plus en plus à travers vous, car il n'y a point de fin à cette splendeur qu'est l'homme.

Les roues dans les roues

Votre concept, votre estimation de vous-même détermine le cercle des amis que vous avez, votre statut social et professionnel, l'état de vos finances et toutes les phases de votre vie. Ce cercle, vous pouvez constamment l'élargir en ayant un concept plus grand de vous-même et en étendant vos horizons. Le diamètre détermine la circonférence d'un cercle. Votre diamètre est votre véritable estimation de vous-même.

Que valez-vous mentalement, spirituellement et en ce qui concerne vos connaissances au sujet des lois de l'esprit ? Nous vivons tous dans des univers différents basés sur notre formation, l'endoctrinement, les croyances, les opinions, le conditionnement religieux de notre enfance. Tous nous regardons à travers le contenu de notre mentalité, et chacun voit un monde différent. Le monde que nous voyons est le monde que nous sommes.

Chacun de nous a son monde personnel de pensées, d'opinions, de croyances et d'imagerie mentale. L'ingénieur de radio nous apprend qu'il peut émettre programme après programme sur un rayon sans qu'ils se rencontrent, parce qu'ils sont émis sur des fréquences différentes. J'apprends aussi que de nombreux messages transatlantiques par câbles co-axiaux du téléphone peuvent être émis au même moment sur différentes fréquences.

Votre famille peut comprendre cinq membres, mais chacun vit dans son monde privé, roue dans une autre roue. Un savant a dit qu'il y a environ un octillion d'électrons dans notre corps qui est composé, comme chacun sait, d'électrons, de protons, d'atomes, de molécules, et que, cependant, chaque atome ou molécule est un monde en soi.

La différence entre un métal et un autre est basée sur le nombre et le degré de vitesse des électrons qui évoluent autour d'un noyau. Regardez un lingot d'argent ou d'or ; lorsqu'il est examiné par les yeux et les oreilles des instruments scientifiques, on s'aperçoit qu'il n'est point du tout solide mais composé de milliards de petits mondes.

Les médecins savent que les cellules qui composent vos yeux sont différentes de celles de vos os, que les cellules de votre cœur diffèrent de celles de vos intestins. Chaque cellule fonctionne selon sa nature propre, chacune est un univers. Les cellules de vos bronches, par exemple, ne sont pas capables de travailler pour votre foie, votre cœur ou votre système digestif.

Votre corps est un assemblage complexe d'atomes et de molécules. En fait, fondamentalement, il est composé d'ondes de lumière. De plus, vous possédez un autre corps dans celui que vous connaissez. C'est celui qu'on appelle corps subtil, ou corps de la quatrième dimension ou encore corps astral ; ce qui signifie que vous pouvez quitter votre corps de chair et apparaître dans toutes les parties du monde. Vous aurez des corps dans l'Infinité, vous ne serez jamais sans corps, car un corps est nécessaire à l'expression de l'Esprit.

Chacun de nous projette sur les autres, sur les circonstances et les événements dans le monde ses croyances, ses sentiments, son conditionnement émotionnel. Deux femmes voient un ivrogne dans le ruisseau ; la façon dont elles pensent colore ce qu'elles voient. L'une a compassion de ce malheureux ; elle sait que la Présence de Dieu réside en lui et elle Lui fait appel en sa faveur. L'autre dit : « *On devrait faire des expériences médicales sur cet homme plutôt que sur des cobayes.* » Elle méprise cet homme. Ces deux femmes voient le même homme, mais elles le voient différemment. Nous projetons sur les autres nos émotions, notre tempérament, notre conditionnement intérieur.

Etre et faire

Supposez, par exemple, que votre plus cher désir soit de devenir un grand chanteur, une grande cantatrice, dont la voix donnera de la joie à des milliers, à des millions d'auditeurs. Deux ou trois fois par jour, détendez-vous tranquillement, faites taire l'évidence de vos sens et imaginez que vous chantez devant une foule : déclarez que Dieu chante à travers vous en cadences majestueuses qui transportent tous ceux qui vous entendent.

Sentez que cela est parfaitement naturel. Entendez un être cher vous féliciter sur vos merveilleux succès.

Tandis que vous méditez ainsi, vous découvrirez que le moment viendra où cet état d'esprit se fixera dans votre subconscience et que toutes les qualités et attributs nécessaires seront ressuscités en vous qui furent d'ailleurs toujours en vous. Souvenez-vous-en, le Sphinx est en vous ; c'est votre Conscience-d'être Inconditionnée ; le Dieu en vous.

Tel est le centre, le Sphinx, autour duquel toutes choses évoluent. C'est l'Inamovible Moteur en toute chose tandis que l'univers, les galaxies et la roue des personnalités tournent sans cesse au-dessous de l'Eternel. Vous conditionnez l'inconditionné en revendiquant et en sentant que vous êtes ce que vous aspirez à être. En demeurant fidèle à cette image mentale, vous ferez l'expérience de la joie de la prière exaucée.

Les liens de l'amour

« ... Mais ils n'ont pas vu que je les guérissais. Je les tirais avec des liens d'humanité, avec des cordages d'amour... » (Osée 11 : 3-4). Pour former ce cercle parfait il faut penser en accord avec l'Infinie Présence-Puissance. Cela est parfois appelé « à l'unisson de l'Infini ». Nous ne sommes point contraints d'aimer, mais nous en avons la liberté.

L'amour est spontané et joyeux ; il nous est loisible de le donner ou de le refuser. L'amour ne s'impose pas. Il n'y aurait point de joie si nous ne pouvions faire l'expérience de son contraire. Comment pourriez-vous connaître la joie si vous n'aviez pas connu la douleur ? L'amour doit être donné librement. L'amour qui est feint par nécessité, par un sentiment de dépendance, n'est point l'amour véritable. Quand nos pensées sont accordées à l'Infini, elles forment un cercle, un circuit parfait et nous reviennent pressées, secouées, tassées, débordantes (4).

Lorsque nos pensées sont négatives, quand, par exemple, nous nous permettons la critique destructive, la jalousie ou le

---

4. Allusion aux paroles de Jésus, Luc 6 : 38 (N.T.).

sentiment de pitié de nous-même ou d'autrui, nous ne sommes pas accordés à Dieu ; en conséquence, il n'y a pas de polarité, le cercle du bien n'est point formé.

Le remède à tous les problèmes c'est de comprendre que le siège de l'Omnipotence est en nous. En tranquillisant notre esprit, nous prenons doucement conscience de ce que toute la puissance et toute l'énergie nécessaires pour surmonter quelque situation que ce soit, sont en nous. Un accumulateur est formé en reliant des pôles opposés de zinc et de cuivre, provoquant un circuit qui engendre de l'énergie. Un processus identique est répété lorsque nous méditons. Il faut que nos pensées soient chargées d'énergie, c'est-à-dire émotionnées par l'amour. Autrement dit, il faut que nous nous unissions à notre idéal, en sentant la réalité en nous-même de l'état désiré. Telle est la polarisation de la pensée, la roue dans les roues.

Vous venez de l'Eden

« ... **Tu étais en Eden, le jardin de Dieu, tu étais couvert de toute espèce de pierres précieuses...** » (Ezéchiel 28 : 13). Vous étiez en Eden, dans l'état paradisiaque, l'état de béatitude absolue, avant de naître ici-bas. En d'autres termes, vous étiez Esprit. Votre père et votre mère, pendant leur union, firent vibrer un son et l'Esprit, l'Absolu, devint relatif et Se conditionna en tant que vous à travers vos parents. Nous sommes des roues dans l'unique roue — l'Immobile — cependant toute motion a lieu en Elle.

Qu'est-ce qu'un jour ? un mois ? une année ? une vie ? un millier de vies ? Le temps cesse pour ceux qui se tournent intérieurement vers l'Eternel pour trouver la sagesse, la puissance, la splendeur. Au profond de nous-même notre Moi divin nous rappelle notre origine. Notre mission, notre but dans la vie est de chérir, d'élargir et de glorifier cette souvenance, de suivre fidèlement cette impulsion jusqu'à ce que son étincelle s'accroisse en une lumière qui nous remplit au point que nous nous identifions à Elle.

Eve, le subconscient de l'homme, fut tirée de sa côte tandis qu'il dormait. Cela, bien entendu, est une allégorie. Sa signification est la suivante : c'est pendant le sommeil que le subconscient émerge. Le symbole de la côte est la protection ; les côtes protègent les organes vitaux du corps.

Pendant le sommeil, Eve, le subconscient, fait office d'instructeur ; il nourrit le corps et assure les processus internes dont le conscient ne sait rien. On dit qu'Eve fut assujettie à l'homme pour le bien et pour le mal ; le subconscient est en effet sujet à notre esprit conscient. Trop souvent nous le dégradons par nos concepts négatifs, mais il nous appartient de le purifier par nos pensées et nos attitudes d'esprit positives.

« Femmes, soyez soumises à vos maris... » (Ephésiens 5 : 22). Dans la Bible, l'épouse c'est votre subconscient, le mari, le conscient. Psychologiquement parlant, le subconscient (l'épouse) est sujet au conscient (le mari). Bien entendu, cela n'a rien à voir avec le rapport personnel du couple. En fait nous sommes tous animés du principe masculin et du principe féminin.

Dans l'enseignement antique du Tarot, le mystique hébreu dit : *« Elle fut sujette à son mari tous les jours de sa vie. »* La nuit, le subconscient domine et, selon votre état d'esprit au moment de vous endormir, si vos pensées sont bonnes et belles, vous avez un sommeil agréable ; il est perturbé si vous vous êtes endormi soucieux ou mécontent. Dans ce dernier cas, Eve (votre subconscient) vous indique simplement que vous avez été maladroit. Elle vous instruit aussi et vous guide, elle dit ce qui lui plaît.

En remplissant votre esprit des vérités éternelles et en l'occupant de concepts de paix, d'harmonie, d'actions justes, de bonne volonté envers tous, vous réussirez à éliminer de votre subconscience tous les doutes, les craintes et autres états négatifs dus à vos erreurs passées et aux superstitions. Votre subconscient peut vous mettre en garde dans un rêve. Par exemple, si vous redoutez une certaine maladie, votre subconscient pourra dramatiser votre crainte pendant le sommeil, vous montrant dans un hôpital, entouré de médecins et d'infirmières.

Dites-vous bien qu'il n'y a point de destin inexorable. Ce rêve peut facilement s'expliquer. Votre subconscient ne raisonne que par déduction, il déduit une conclusion de la peur de la maladie que vous entretenez et l'amplifie dans un rêve. Vous êtes à même de transformer le rêve et de neutraliser la peur en contemplant l'intégrité, la beauté et la perfection de Dieu saturant tout votre être, en prenant conscience de ce que Dieu, au centre de votre être, vous guérit. Réjouissez-vous-en et rendez grâce à cette Infinie Présence Guérissante. Saturez votre esprit de cette vérité en vous endormant, votre subconscient répondra en conséquence.

7

La paix

Lorsque nous arrivâmes à Singapour, qui est fréquemment appelé « carrefour de l'Orient », le guide nous conduisit le long du célèbre bord de l'eau, dans de merveilleux temples, à Chinatown, aux Jardins du Tiger Balm et à la Maison de Jade. Il est intéressant de méditer sur les diversités raciales et culturelles de cette cité unique.

On voit là de nombreux villages malais pittoresques, blottis dans des plantations de cocotiers soignées par des ouvriers malais, chinois et hindous. La Maison de Jade, que nous visitâmes, contient une des plus belles collections de jade du monde.

La rivière Singapour présente un spectacle extraordinaire, toute pleine de sampans, de bateaux de toutes sortes et, sur les berges, des dockers portant des cargos sur leurs épaules nues.

En excursion dans le port de Singapour, nous eûmes plaisir à écouter le vieil homme qui menait le bateau et son petit-fils. A l'aller comme au retour, ils psalmodièrent des prières du Coran. Tous deux avaient l'air extasié, tandis qu'ils chantaient les antiques paroles de leur Livre sacré.

Notre guide connaissait bien les lois de l'esprit. Il nous conta que dans sa ville natale, en Inde, il y avait beaucoup d'injustice, de malhonnêteté, de corruption que le peuple endurait depuis longtemps. Cependant, lorsqu'une jeune fille fut molestée en se rendant à l'école, le peuple se fâcha et expulsa ses politiciens.

S'inspirant du vieil adage *« La tortue n'avance qu'en sortant son cou »,* le père de notre guide fut, nous dit-il, le premier à « sortir son cou », c'est-à-dire à prendre position lorsque l'agitation et l'indignation du peuple devant la corruption éhontée et la prédominance des maisons mal famées s'accrurent.

Il faut que vous compreniez que vous pouvez, vous aussi, devenir plus grand, plus noble, plus semblable à Dieu que vous n'êtes, tout comme ce guide. Insatisfait des possibilités limitées de sa ville natale, il prit sa décision, quitta le pays et se dit : *« Je vais voyager, apprendre des langues et entrer en faculté. »* Sa décision fut si ferme que son subconscient lui ouvrit la voie ; cet homme réalisa le désir de son cœur et trouva la paix dans ce monde changeant.

L'insatisfaction conduit à la satisfaction

L'auteur du présent livre, lui aussi, fut fort insatisfait de l'enseignement orthodoxe qu'il avait reçu dans son enfance et son adolescence ; il se révolta. Se délestant entièrement de ce qu'on lui avait inculqué, il étudia les lois de l'esprit, la voie de l'Infini et fut satisfait, *« car tous Ses chemins sont agréables, tous Ses sentiers paisibles »* (1). Cet homme avait été perturbé par les fausses doctrines, les dogmes illogiques, les fausses croyances envers Dieu, la vie et l'univers.

Il décida d'écrire des livres qui seraient de nature à éclairer la vie et son but. Il en existe aujourd'hui environ 32 dont beaucoup ont été traduits dans de nombreuses langues. Parfois, il est bon d'être contrarié, perturbé, indigné, en ce sens que cela pousse à agir constructivement en faveur de ce qui est à l'origine du malaise. C'est alors que l'on trouve la paix et la satisfaction.

Pourquoi il écrivit un livre

Le Dr Harry Gaze, auteur de plusieurs ouvrages sur la science de l'esprit, me dit qu'au cours de ses conférences internationales il était assailli par des gens qui lui posaient maintes questions sur la mort, l'après-vie et sur le Jugement dernier. Excédé par toutes ces questions, il écrivit un livre intitulé *Vous Vivrez A Jamais* (2) qui eut un immense succès. Il me dit que

---

1. Allusion à Proverbes 3 : 17 (N.T.).
2. Non traduit en français (N.T.).

l'écriture de ce livre l'avait débarrassé de ses tensions et lui avait donné une satisfaction profonde, car il avait permis à un grand nombre de personnes de comprendre qu'il n'y a point de mort — rien que la vie — Dieu, la Vie, ne peut pas mourir. Sa vie est la vôtre.

Vous pouvez trouver la paix

Dans l'Evangile selon Matthieu nous lisons : « **Ne croyez pas que je sois venu apporter la paix sur terre ; je ne suis pas venu apporter la paix mais l'épée. Car je suis venu mettre la division entre l'homme et son père, entre la fille et sa mère, entre la belle-fille et la belle-mère ; l'homme aura pour ennemis les gens de sa maison** » (Matthieu 10 : 34-36).

Il y a quelque temps, je fis une conférence au cours de laquelle je déclarai que la Vierge Marie signifie le « JE SUIS » qui, en nous, est capable de conceptions infinies de Lui-même ; que cela signifie littéralement pure mer. Le mot latin *mare* signifie mer ; dans la Bible le mot Vierge, pure, immaculée. Isis, la déesse aux 10 000 appellations, Maya, mère de Bouddha et la Sophia des Perses ont toutes la même signification qui précéda de loin la Chrétienté. Cette déclaration perturba plusieurs personnes de mon auditoire.

Je leur expliquai que souvent la vérité blesse parce qu'elle secoue les gens hors du marasme des faux dogmes, des complexités théologiques. Ces personnes se mirent à faire des recherches et découvrirent alors que les personnages de la Nativité sont en tout homme. L'étude approfondie de la science de l'esprit enthousiasma ces personnes et leur vie en fut transformée. Elles me dirent qu'elles étaient heureuses de ce que je les avais secouées hors de leur suffisance et de leur léthargie spirituelle.

En vérité un grand nombre a besoin d'être secoué et tiré de la propagande de masse, des suggestions hypnotiques et des fausses croyances qui abondent dans le champ de la religion. Les personnes dont j'ai parlé ont découvert la Présence de Dieu en elles-mêmes et ont trouvé la paix dans ce monde changeant.

Les tranquillisants ne vous donneront pas la paix

Une jeune comédienne me téléphona, très agitée, épouvantée parce qu'une chiromancienne lui avait dit que quelqu'un l'avait envoûtée mais que pour 100 dollars elle pouvait la dégager. L'actrice s'était exécutée mais elle allait plus mal et son médecin lui avait prescrit un puissant tranquillisant.

Je lui expliquai qu'il fallait qu'elle élimine la cause de son mal. Je l'assurai que les imprécations de qui que ce fût n'avaient aucun pouvoir pour lui nuire, que les suggestions et les déclarations d'autrui ne pouvaient en aucun cas l'affecter, la seule puissance étant le mouvement de sa propre pensée. Elle avait accepté la suggestion négative de la chiromancienne, et la réaction dont elle souffrait en était le résultat.

Sur mes indications, elle se mit à réciter lentement, tranquillement et avec ferveur les paroles du 91e Psaume, le grand Psaume protecteur qui a sauvé des gens de toute la terre d'incendies, de naufrages, de maladies prétendues incurables, de situations apparemment sans issue.

Cette jeune femme comprit peu à peu qu'en s'accordant à la Présence-Puissance Infinie et Unique, celle-ci agirait en harmonie, en paix, en joie, en beauté, en puissance à travers elle. Rien ne s'oppose à cette Présence puisqu'Elle est Omnipotente. En le réalisant, ma consultante ressentit une grande paix intérieure.

Elle bénit la chiromancienne et se mit à irradier l'amour et la bonne volonté envers tous, comprenant qu'ainsi faisant elle s'entourait elle-même d'une parfaite immunité. Ressentant la paix *« qui surpasse tout entendement humain »,* elle fut à même de rire de la suggestion négative de la pythonisse, comprenant qu'elle n'avait pas plus de pouvoir qu'un lance-pierres contre un torpilleur et elle mit au rancart le tranquillisant dont elle n'avait plus que faire.

Elle pensait qu'elle devait se résigner

Il y a quelques mois une dame vint me consulter. Elle souffrait d'arthrite et on lui avait dit qu'il fallait qu'elle supporte son mal incurable. Elle absorbait 12 à 14 cachets d'aspirine par jour ; comme elle en ressentit des désagréments, elle prit alors de la codéine pour calmer ses douleurs. Ses proches lui dirent que c'était la volonté de Dieu et qu'elle devait endurer stoïquement son mal. Ce qui, bien entendu, n'est qu'une diabolique perversion de la Vérité, laquelle dit : « **Venez à moi, vous tous qui êtes fatigués et chargés, et je vous donnerai du repos** » (Matthieu 11 : 28) ; « **... Je suis l'Eternel qui te guérit** » (Exode 15 : 26).

La douleur est une bénédiction déguisée, en ce sens qu'elle attire notre attention sur le fait que nous avons mésusé de notre esprit et devons nous corriger immédiatement. Cette femme acceptait un mensonge et se résignait à son apparent destin jusqu'à ce que, ses douleurs devenant intolérables, elle se décidât à invoquer la Guérison divine et à s'en servir.

En parlant avec elle, je découvris que cette personne entretenait une haine, un ressentiment profond contre son ex-mari et sa mère. Cette haine l'empoisonnait. Suivant ma prescription, elle se reconnut comme étant un être spirituel, fille de l'Infini, enfant de l'Eternité, et, trois fois par jour, elle se recueillit pendant 15 à 20 minutes pour affirmer avec une tranquille assurance : *« Dieu est Amour et cet Amour sature mon âme. J'exalte Dieu en moi, et je rends grâce pour ma guérison miraculeuse. »* Lorsque des pensées d'hostilité envers son ex-mari et sa mère se présentaient à son esprit, elle affirmait tout aussitôt : *« L'amour de Dieu remplit mon âme »,* neutralisant, décapitant ainsi toute pensée de colère et de haine.

Au bout de trois mois, la souplesse et la mobilité de ses jointures revinrent et elle marcha sans canne. Elle ne souffre plus. Autrefois, elle avait essayé de s'obliger à aimer son ex-mari et sa mère sans pouvoir y parvenir. Mais quand elle donna à son subconscient une transfusion d'Amour divin, la paix, l'harmonie, la puissance de cet Amour dissolvèrent tous les dépôts calcaires dans ses articulations. De plus, tandis qu'elle prit conscience d'elle-même en tant qu'être spirituel, laissant entrer en elle l'amour de Dieu, toute haine, toute hostilité disparurent, éliminées de son subconscient. Dorénavant, elle put rencontrer dans son esprit ses prétendus ennemis d'hier sans en ressentir le moindre tourment. Elle était définitivement en paix.

Il dit : « bien sûr que je suis tendu »

Un musicien me dit récemment : « *Je suis très tendu avant un concert. Si je ne suis pas en pleine tension, je ne joue pas bien.* » Il me raconta qu'au début de sa carrière, un ami lui avait conseillé de prendre un tranquillisant pour réduire sa tension nerveuse mais que cela avait nui à son jeu. Il avait, me dit-il, compris que cette tension lui était nécessaire pour exceller dans sa musique.

Il me dit : « *A présent je me tends comme je remonte ma montre. Mais j'ai soin de ne pas tendre ma « montre » au point où le ressort se briserait.* » Ce musicien est sage. Il compare son jeu au ressort de sa montre laquelle libère lentement sa tension. Il a compris que les sédatifs et les tranquillisants n'équilibrent point sa tension ; tout au contraire. Sa haute tension est simplement une accumulation d'Energie divine qui lui permet de libérer sa splendeur emprisonnée (3). Cet homme est maître de sa tension et la libère dans l'Ordre divin, ainsi il a trouvé la paix et la sérénité.

Comment il se libéra de sa tension

Un jeune étudiant en médecine me dit qu'il était si fort en colère contre les parents, avec lesquels il vivait pendant ses études en Faculté, qu'il avait peint leurs visages sur un punching-ball du gymnase. Il se livrait tous les jours à des attaques sur ce ballon pendant une demi-heure.

Il me dit qu'il se libérait ainsi d'une rage rentrée afin qu'elle n'éclatât pas en leur présence. Mais je lui expliquai que plus il projetait de colère et d'hostilité sur ces personnes en donnant des coups de poing au punching-ball, plus il se sentirait mal ; il aggraverait ses émotions négatives. S'il était vrai que tout ce que nous avons à faire pour nous débarrasser de sentiments d'hostilité et de colère c'est de les exprimer, alors l'inverse serait également vrai : pour se libérer des sentiments d'amour, de paix, de cordialité, de bonne volonté, il suffirait de les exprimer. Tout au contraire, ainsi faisant nous augmentons ces sentiments. En fait,

---

3. Allusion aux vers célèbres de Browning (N.T.).

plus nous exprimons ces qualités, plus nous devenons semblables à Dieu. Ces qualités sont celles de Dieu et plus nous les manifestons, plus nous les possédons. Plus nous communiquons de sagesse à autrui, plus nous avons de sagesse.

C'est une perversion diabolique de la vérité que de dire à quelqu'un qui est plein d'hostilité qu'il doit l'exprimer pour s'en libérer. En fait, il détruit, ce faisant, en lui-même l'amour, la paix, l'harmonie et le discernement. Et s'il persiste, ces émotions parviendront au point de saturation de son subconscient et le détruiront. Je conseillai donc à mon jeune interne de remettre tous ses parents à Dieu et de les bénir en affirmant chaque fois qu'il pensait à l'un d'eux : « *J'exalte Dieu en vous.* » Il en fit une habitude et atteignit une grande paix ; ses parents ne le perturbèrent, ne l'irritèrent plus. Il comprit qu'il s'était irrité lui-même.

Regardez l'arbre

Remarquez sa force. Il se courbe au vent mais ne se brise point facilement, il fait face à l'orage. De même, nous devrions tous être flexibles devant les vicissitudes de la vie. Apprenez à faire front, sachant que tout passe et que vous êtes à même de faire face à tout problème. Prenez conscience de ce que l'Intelligence Créatrice qui est en vous sait le résoudre ... « **Tiens-toi tranquille et regarde la délivrance que l'Eternel va t'accorder en ce jour** » (Exode 14 : 13).

La cause de la révolution

Un journaliste, dont la renommée est internationale, parlant du conflit qui sévit dans un certain pays, dit que tout cela se résume à l'argent ; à la corruption qui y règne, au népotisme, aux disputes entre les partis politiques. Celui qui est dans l'opposition, ne pouvant obtenir de la majorité assez de puissance et d'argent déclenche la guerre civile.

Le gaspillage, la corruption, les impôts trop lourds perturbent les esprits jusqu'à ce qu'ils explosent.

Un des membres de notre groupe me demanda pourquoi les riches d'une certaine ville en Inde feignaient d'ignorer l'effroyable misère, la malpropreté, les maladies des enfants misérables à moitié morts de faim. La réponse est qu'ils attribuent la déplorable condition de ces petits au karma, c'est-à-dire le prétendu fait qu'ils souffrent à cause des péchés qu'ils ont commis dans une précédente vie ; cette croyance est abominable. Mais elle donne aux riches une excuse pour ne rien faire pour les secourir, leurs fausses croyances religieuses apaisent leur conscience.

L'écoute humble

Emerson dit que cette écoute permet d'entendre le murmure des dieux, ce qui veut dire qu'il y a en nous tous une voix intuitive qui nous pousse à faire ce qui est bien ; à nous élever, à transcender, à croître. Elle nous révèle qu'il y a pour nous ce qui est plus grand, plus merveilleux ; que tout cela nous attend.

La voix intérieure révèle un contraste entre notre condition extérieure et le désir de notre cœur ; cela crée une tension et nous met mal à l'aise. Nous vivons à la fois dans un monde intérieur et dans un monde extérieur. Cette dualité de notre nature peut s'exprimer de la façon suivante : ce que JE SUIS et ce à quoi j'aspire se querellent dans mon esprit. Autrement dit, il s'agit de vous et de votre désir. Le désir que vous éprouvez pour la richesse, la prospérité, le succès, les bonnes choses de la vie, peut contraster fortement avec votre environnement, votre vie familiale, l'état de vos finances.

C'est ce désir pour une vie meilleure qui vous pousse à avancer dans la vie. Car vous êtes ici pour croître, pour vous élargir, pour vous élever dans tous les aspects de votre vie. Lorsque vous cessez de rêver, d'aspirer à croître, à donner davantage de vos talents, de vos capacités au monde, vous stagnez et vous mourez spirituellement.

L'épée

Lorsque la Bible dit : « **Je viens en tant qu'épée** », cela signifie simplement que l'épée sépare. Symboliquement, elle sépare le vrai du faux, la vérité du mensonge, des croyances fausses, erronées. Avec l'épée de la vérité vous vous détachez de toute adhésion aux faux concepts au sujet de Dieu ; vous intronisez dans votre esprit un Dieu d'amour.

La vérité crée une querelle dans votre esprit, par un conflit entre ce qui vous fut enseigné et la vérité de l'Etre. L'épée de la vérité met fin à cette querelle lorsque vous acceptez le JE SUIS, la Présence de Dieu en vous ; unique Présence, Puissance, Cause et Substance. Tandis que vous donnez toute votre allégeance, votre loyauté, votre dévouement à l'Esprit Tout-Puissant qui vous anime, les faux dieux sont renversés et la paix entre dans votre esprit et dans votre cœur.

Un homme peut être en désaccord avec son père en ce sens qu'il ne peut plus souscrire aux croyances absurdes et grotesques en un Dieu de colère, au feu de l'enfer, au péché originel et à toutes sortes de doctrines désuètes et parfaitement absurdes.

Toute religion qui inculque la peur est fausse « ... **Je ne crains aucun mal, car tu es avec moi...** » (Psaume 23 : 4) ; « **Ne crains rien, petit troupeau ; c'est la bonne volonté de votre Père de vous donner le royaume** » (Luc 12 : 32). Votre religion doit vous donner la joie, le bonheur, la paix et la sécurité... « **Je suis venu pour qu'ils aient la vie, et pour qu'ils l'aient plus abondante** » (Jean 10 : 10).

Beaucoup de personnes sont paresseuses, indolentes, suffisantes ; elles existent dans une fausse paix. Elles ont besoin de l'épée de la Vérité pour les stimuler, les faire sortir d'un état léthargique.

« **Je ne viens pas apporter la paix mais une épée** » est une Vérité profonde. La conscience de la Présence de Dieu en vous entre dans votre mentalité pour transformer toute votre vie. La voix intérieure vous dit : « *Viens plus haut. J'ai besoin de toi.* » Elle nous réveille.

L'épée de la Vérité, c'est le Raisonnement Divin qui vous fait rejeter de votre esprit tout ce qui n'est pas conforme aux principes de la vie. Vous raisonnez alors selon ceux de l'harmonie, de l'amour, de la paix, de l'action juste ; des vérités qui ne changent jamais. Vous rejetez toute erreur comme étant impropre à la maison de Dieu. En d'autres termes, vous suivez l'injonction biblique : « **Ne jugez point selon les apparences, mais jugez selon le jugement juste** » (Jean 7 : 24).

L'avocat s'écartait de la vérité

Une femme en colère me téléphona, me disant qu'un de ses parents contestait le testament de son mari. Sa sœur avait fait de faux témoignages. L'avocat, me dit-elle, savait que sa sœur mentait et il allait plaider sur un tissu de contrevérités.

Je lui conseillai de reprendre son calme et de permettre ainsi à son Moi divin de gagner sa cause. Elle devait, lui dis-je, rejeter complètement l'idée que sa sœur et son avocat avaient quelque pouvoir que ce fût ; je lui dis que sa pensée positive au sujet du dénouement prévaudrait.

Suivant mes indications, cette dame pria ainsi : *« La Vérité de Dieu prévaut. La Justice divine règne dans l'esprit et dans le cœur de tous. Dieu agit. »* Elle s'appliqua à demeurer dans cet état élevé de conscience. Lorsque la peur tentait de s'emparer de son esprit, ou quand sa sœur persistait dans ses fausses allégations, elle affirmait silencieusement : *« Dieu agit. »* Elle gagna le procès et les volontés de son mari furent accomplies.

La Présence-Dieu en chacun de nous vient, portant une épée, pour nous faire aller de l'avant, plus loin, plus haut.

Porter les vrais vêtements spirituels

« **Entrez dans ses portes avec des louanges, dans ses parvis avec des cantiques !** » (Psaume 100 : 4). Il vous faut porter les vêtements mentaux de la foi, de la confiance, de la bonne volonté, de l'esprit de pardon, et vivre dans l'attente joyeuse du meilleur. Invariablement, si vous le faites, vous l'aurez.

Il y a quelques mois, alors que je visitais un hôpital psychiatrique, un jeune interne me fit remarquer quelques hommes qui déchiraient sans cesse leurs vêtements et voulaient aller nus. La raison de cette tendance est qu'ils sont nus mentalement et spirituellement. Leur esprit manque des couvertures de l'amour, de la paix, de l'harmonie et de la sagesse. Comme le fit remarquer le jeune médecin, ils ne se servent plus de leur intelligence, des facultés de discernement et de raison, en conséquence, leur cerveau et d'autres organes se désintègrent rapidement.

L'un de ces malheureux insistait pour dire qu'il était César, un autre Lincoln et un troisième Washington. Les gangsters de la haine, de la jalousie, de l'envie et de la vengeance qu'ils avaient logés dans leur esprit étaient les démons qui leur en avaient fait perdre le gouvernement, les privant de paix, de calme et de santé. Le jeune médecin dit que leurs émotions irrationnelles étaient cause de leurs insanités.

Il me parla ensuite d'un cas fort intéressant, celui du malade dont sa sœur venait le voir tous les jours. Elle lui répétait sans cesse que la Lumière de Dieu disperserait les ténèbres de son esprit. La plupart du temps, il ne la reconnaissait pas et ne l'écoutait guère. Elle dit au médecin qu'elle priait constamment pour son frère, affirmant : « *La Lumière de Dieu éclaire l'esprit de mon frère et le guérit.* »

Trois mois passèrent, et puis, un matin, tandis qu'elle lui rendait visite, il lui parla calmement, disant qu'une Lumière lui était venue à l'esprit, et qu'il était guéri. Les psychiatres qui l'examinèrent confirmèrent ses dires ; il quitta l'hôpital. La conviction de la puissance guérissante de Dieu entretenue par sa sœur, communiquée subconsciemment, l'avait guéri.

« *La prière accomplit plus de choses que ne rêve ce monde* (4). »

---

4. Alfred, Lord Tennyson (N.T.).

8

La vraie nourriture

Une visite à Hong Kong est quelque chose dont on se souvient. J'effectuais ma troisième venue dans cette pittoresque colonie de la Couronne Britannique perchée sur le bord de la terre chinoise. Tandis que l'avion se prépare à atterrir, on a vue sur un des plus beaux ports du monde.

Hong Kong est fascinant, plein de couleur, grouillant de monde, rempli de toutes sortes « d'occasions », accroché à son roc qui domine la mer. Le problème des réfugiés est bien mieux résolu que lors de ma visite d'il y a quelques années. Le gouvernement a bâti des immeubles pour ces malheureux et facilité l'éducation de leurs enfants.

Nous fîmes une excursion à Kowloon et aux Nouveaux Territoires. Nous passâmes devant d'antiques villages enclos, et jusqu'au Rideau de Bambou. Une croisière dans le port, à bord d'une barque chinoise, est une expérience unique. Le village de pêcheurs de Sherdein, autrefois repaire de pirates, est tout à fait intéressant. Nous dînâmes dans un restaurant flottant.

« Vous êtes les enfants de l'Eternel, votre Dieu. Vous ne vous ferez point d'incisions, et vous ne ferez point de place chauve entre les yeux pour un mort. »

« Car tu es un peuple saint pour l'Eternel, ton Dieu ; et l'Eternel, ton Dieu, t'a choisi, pour que tu fusses un peuple qui lui appartient entre tous les peuples qui sont sur la face de la terre. »

« Tu ne mangeras aucune chose abominable. »

« Voici les animaux que vous mangerez : le bœuf, la brebis et la chèvre ; le cerf, la gazelle et le daim, le bouquetin, le chevreuil, la chèvre sauvage et la girafe. »

« Vous mangerez de tout animal qui a la corne fendue, le pied fourchu, et qui rumine. »

« Mais vous ne mangerez pas de ceux qui ruminent seulement, ou qui ont la corne fendue et le pied fourchu seulement. Ainsi, vous ne mangerez pas le chameau, le lièvre et le daman, qui ruminent, mais qui n'ont pas la corne fendue ; vous les regarderez comme impurs. »

« Vous ne mangerez pas le porc, qui a la corne fendue, mais qui ne rumine pas : vous le regarderez comme impur. Vous ne mangerez pas de leur chair et vous ne toucherez pas leurs corps morts. »

« Voici les animaux dont vous mangerez parmi tous ceux qui sont dans les eaux : vous mangerez de tous ceux qui ont des nageoires et des écailles. »

« Mais vous ne mangerez d'aucun de ceux qui n'ont pas de nageoires et d'écailles : vous les regarderez comme impurs. »

« Vous mangerez tout oiseau pur. »

« Mais voici ceux que vous ne mangerez pas : l'aigle, l'orfraie et l'aigle de mer, le milan, l'autour et le vautour et ce qui est de son espèce ; le corbeau et toutes ses espèces. »

« L'autruche, le hibou, la mouette, l'épervier et ce qui est de son espèce, le chat-huant, la chouette et le cygne ; le pélican, le cormoran et le plongeon ; la cigogne, le héron et ce qui est de son espèce, la huppe et la chauve-souris. »

« Vous regarderez comme impur tout reptile qui vole ; on n'en mangera point. »

« Vous mangerez tout oiseau pur. »

« Vous ne mangerez d'aucune bête morte ; tu la donneras à l'étranger qui sera dans tes portes, afin qu'il la mange, ou tu la vendras à un étranger ; car tu es un peuple saint pour l'Eternel, ton Dieu. »

« Tu ne feras point cuire un chevreau dans le lait de sa mère. » (Deutéronome 14 : 1-21).

L'idée de ce chapitre me vint tandis que nous mangions toutes sortes de poissons dans ce restaurant. Une infirmière dit : *« Nous sommes ce que nous mangeons. »* Il faut aller au fond d'une vérité. Quand Jésus dit, dans sa prière : « **Donne-nous tous les jours notre pain** » (Luc 11 : 3), il ne s'agit pas du pain que nous avons sur la table, mais du pain du Ciel, ce qui signifie que nous devons manger mentalement la confiance, la foi, la bonne volonté et la joie.

L'homme doit se nourrir d'états de conscience et de sentiments qui le vivifient, le fortifient et le soutiennent. Il est vrai que notre corps a besoin de protéines, de légumes et de tous les minéraux nécessaires au soutien de la vie... « **L'homme ne vivra pas que de pain** » (Luc 4 : 4). Il a besoin d'idées qui guérissent, bénissent, inspirent, élèvent et dignifient son âme. Comment pourrait-il vivre sans un minimum de paix, d'harmonie, d'amour, de foi en Dieu et en tout ce qui est bon ?

Notre esprit doit être nourri. Quand il est chargé de peur, d'anxiété, de souci, d'appréhension, ces émotions entraînent toutes sortes de misères et de souffrances. L'homme a besoin de vivre dans l'attente joyeuse du meilleur. Invariablement et inéluctablement cette attente ne sera point déçue. Nous recevons ce que nous attendons de la vie. Attendez-vous donc au plus haut et au meilleur. N'acceptez jamais moins.

Combien de fois les repas les plus savoureux vous ont-ils laissés affamés de paix, d'amour, de joie intérieure, de quelque indescriptible satisfaction que la nourriture terrestre ne vous donne pas ? « **Bienheureux ceux qui ont faim et soif de droiture, car ils seront rassasiés** » (Matthieu 5 : 6). Prenez conscience de ce que votre héritage spirituel vous donne tout pouvoir et toutes capacités pour gagner et pour vivre une vie triomphante. « **Mieux vaut de l'herbe pour nourriture, là où règne l'amour, qu'un bœuf engraissé, si la haine est là** » (Proverbes 15 : 17). Mangeriez-vous la nourriture la plus choisie, elle se transformera en poison si vous êtes plein de colère ou de haine. Rien n'est bon ni mauvais, si ce n'est ce qu'en fait la pensée (1).

Un médecin japonais, que nous rencontrâmes à table dans un hôtel de Hong Kong, dit que depuis la dernière guerre mondiale les Japonais mangent beaucoup de blé et que les vitamines que contient cette céréale ont fait grandir leur race. Le soldat qui fait une longue marche, par temps chaud sait l'importance du chlorure de sodium, le sel. Le potassium, l'iode et bien d'autres éléments chimiques sont également essentiels à notre bien-être, à notre santé.

---

1. Shakespeare (N.T.).

La nourriture est importante, bien entendu, mais non point prééminente. Il ne faut pas que nous oubliions la Source de toute nourriture, le Principe de Vie intérieur, qui crée toutes choses.

Regardez vers le Créateur, et non vers les choses créées. Autrement dit, il ne faut pas seulement nous préoccuper de la nourriture pour notre santé. Il faut bien comprendre ces paroles... **« Je suis l'Eternel qui te guérit »** (Exode 15 : 26) ; **« ... qu'il vous soit fait selon votre foi »** (Matthieu 9 : 29).

Je parlais récemment à une femme qui est diététicienne diplômée dans un grand hôpital. Elle souffrait d'arthrite et d'un cancer de l'utérus. Elle m'avoua volontiers que sa nourriture mentale était le ressentiment, l'hostilité et la rage réprimée envers son ex-mari. Après qu'elle se fût transformée spirituellement, reconnaissant sa divine origine, la souplesse et la mobilité de ses articulations réapparurent et la tumeur maligne se résorba complètement. Elle s'était mise à prier pour son médecin et celui-ci changea son traitement, ce qui lui fut aussi d'une aide considérable.

Elle priait surtout de la façon suivante : *« Dieu au centre de mon être me guérit. Son amour remplit chaque atome de mon corps. »* Elle affirmait cette simple vérité plusieurs fois par jour. Lorsque la colère ou le ressentiment lui venaient à l'esprit, elle se disait : *« L'amour de Dieu remplit mon âme et Il me rend parfaite dès à présent. »* Elle n'essaya point de se forcer à aimer son ex-mari, elle avait compris qu'en remplissant son subconscient de l'Amour divin, tout ressentiment, toute hostilité, toute haine se dissoudraient, et, bien entendu, il en fut ainsi. Après quelques semaines de cette thérapeutique spirituelle, elle parvint à penser à lui sans ressentir la moindre amertume. Elle se sentit en paix et l'arthrite et le cancer ont disparu.

Le corps suit l'état de conscience ; cette femme joua sur son corps une mélodie d'amour et de paix au lieu de lui imposer la haine ; son corps répondit en conséquence. Votre corps est le temple de l'Esprit-Dieu. Vos pensées conditionnent son état manifesté.

Ce chapitre 14 du Deutéronome que nous étudions ici, est l'un des plus importants de la Bible. Dès le premier verset, il vous dit que vous êtes un enfant de l'Infini et que vous ne devez point vous couper ; ce qui signifie que vous ne devez vous infliger aucun traumatisme mental tel que la condamnation, la haine, la peur ou le ressentiment de vous-même ; tous sont autant de blessures pour votre âme, votre subconscient, et sont susceptibles de devenir des foyers d'infection dans ses profondeurs, infection qui se répand dans tout votre organisme.

« **Car tu es un peuple saint pour l'Eternel ton Dieu...** » (Deutéronome 14 : 2). L'Eternel est en vous. Parce qu'Il est parfait, toute harmonie, paix parfaite, amour sans bornes, intelligence infinie, tous Ses desseins sont synchronisés et fonctionnent parfaitement en votre corps. Dieu vous habite, « **Dieu c'est le Principe de Vie en vous !** (2) ». Ce Principe Divin agit parfaitement à travers nous à moins que nous ne mésusions de Sa loi.

Moïse représente la loi de l'Esprit et cette loi c'est que : « **Tel un homme pense en son cœur, tel il est** » (Proverbes 23 : 7). En langage simple cela veut dire que tout ce qu'un homme imprime sur sa subconscience s'exprime sur l'écran de l'espace.

« **Tu ne mangeras aucune chose abominable** » (Deutéronome 14 : 3). Vous ne devez absorber, digérer, vous approprier mentalement aucune idée, aucune opinion négative, destructrice. Voilà ce que signifie « manger » au sens biblique, au sens mental et spirituel. Nous sommes tous nourris par nos cinq sens à longueur de journée. Nous sommes chaque jour impressionnés par une avalanche de visions et de sons dont beaucoup sont hautement négatifs, destructeurs. Notre nourriture mentale devrait être celle des vérités de Dieu, vérités qui nous guérissent, nous bénissent et nous inspirent. Nous sommes ce que nous mangeons (pensons) toute la journée.

En un seul jour, notre esprit reçoit d'innombrables idées, opinions, croyances et quelques vérités, tout cela imprègne notre subconscience. Ces impressions, ces croyances s'expriment en tant qu'événements et expériences dans notre vie. Notre état de conscience c'est la façon dont nous pensons, sentons, croyons, c'est ce à quoi nous donnons consentement mental. Notre état de conscience est notre seigneur et maître. Notre nourriture idéale serait la contemplation de toutes les qualités, de tous les attributs,

---

2. Nous soulignons (N.T.).

de tous les pouvoirs de Dieu, en sachant que nous devenons ce que nous contemplons. Notre état mental, le conditionnement de notre conscience, dépend de la nourriture mentale que nous nous approprions.

Quand la Bible dit : « **Voici les animaux dont vous mangerez...** » (Deutéronome 14 : 4), cela est un langage symbolique. Le mot *animal* signifie émotion ; états d'esprit animés. Un animal ne raisonne pas critiquement comme l'homme. C'est-à-dire qu'il n'analyse, ne pèse, ne disserte, ne scrute, ne pèse point le pour et le contre comme le fait un humain. Lorsque nous voyons un chien sauver un enfant qui se noie, ou gratter la neige où est enfoui vivant sous une avalanche un homme, cela indique un degré de raisonnement subjectif. Ce raisonnement subjectif, instinctif est observable chez beaucoup d'autres bêtes. Mais aucun animal ne peut écrire le Sermon sur la Montagne, une symphonie, ni construire une cathédrale. Les animaux sont gouvernés par un instinct subjectif, ils n'ont pas la capacité de juger spirituellement, c'est-à-dire de pratiquer le raisonnement divin ; ils ne peuvent croître spirituellement et, par conséquent, ils ne peuvent changer leur nature.

Un ivrogne, un drogué, un assassin peuvent choisir et décider de leurs pensées. Ils peuvent, par la puissance divine qui est en eux, mener une vie nouvelle, s'élever. L'homme est à même de prendre la direction de ses sentiments. S'il le désire, il peut devenir semblable à Dieu, faire l'expérience de ce qu'on appelle la renaissance spirituelle. Les émotions anormales, la colère, la peur, la haine, la jalousie, l'hostilité, etc., sont appelées irrationnelles parce qu'elles ne sont pas fondées sur le Raisonnement divin... « **Choisissez aujourd'hui qui vous servirez...** » (Josué 24 : 15).

Nous sommes ici pour choisir, c'est-à-dire pour accepter le bien et rejeter ce qui est négatif. Lorsque nous donnons puissance aux choses extérieures, lorsque nous pensons qu'elles sont des causes créatrices, cette attitude engendre la colère et les émotions discordantes qui empoisonnent notre vie. Nous sommes ici pour apprendre que les causes ne sont point extérieures ; les choses extérieures ne sont que des effets ; les gens, les conditions et les circonstances qui semblent nous faire opposition, n'ont en fait, aucun pouvoir pour gêner, pour empêcher notre avancement.

La vérité c'est que l'Omniprésence est en nous ; en nous accordant au Père, la Toute-Puissance qui est en nous, comprenant que cette Toute-Puissance agit en notre faveur, nous maintenons dans l'harmonie et la paix notre vie émotionnelle. Il nous faut être vigilant, car l'entendement collectif nous assaille sans cesse ; il faut donc que nous « priions sans cesse », que nous nous écartions ainsi des fausses croyances, des dogmes, des concepts stupides et irrationnels au sujet de Dieu et de l'après-vie dont nous fûmes nourris dans notre enfance. Ces impressions, ces peurs se tiennent tapies dans les profondeurs de notre subconscience. Ce sont les animaux malpropres de la Bible.

Nous pouvons transformer dans le moment même notre subconscience en remplissant notre esprit conscient des vérités de Dieu qui élimineront alors de notre conscience tout ce qui Lui fait outrage. Il vous est dit dans ce chapitre du Deutéronome que vous pouvez manger *le bœuf, le mouton, la chèvre et de tout animal qui a la corne fendue, le pied fourchu et qui rumine.*

Il est nécessaire de connaître la signification symbolique de ces paroles. La grandeur de la sagesse de la Bible ne se peut comprendre que par l'interprétation exacte des symboles dont elle est remplie.

La vache et le mouton ont le pied fourchu, ce qui signifie que vous devez raisonner, séparer la paille du blé, le vrai du faux. Autrement dit, vous devez juger selon les normes et les principes spirituels et rejeter tout ce qui est faux. Il faut que vous vous décidiez en faveur des principes de la vie, que vous choisissiez la Vérité, qui ne change jamais. Vous ne devez plus juger selon les apparences, mais, au contraire, juger selon les vérités éternelles, comme un mathématicien se base sur les principes des mathématiques.

Parvenu à la vérité, il faut que vous la ruminiez ; c'est-à-dire que vous devez penser, méditer, assimiler et vous approprier cette vérité en la digérant et en l'absorbant mentalement de telle sorte qu'elle s'incorpore à votre subconscience ; qu'elle fasse partie de vous de même que la pomme que vous mangez va, une fois digérée, faire partie de votre courant sanguin.

Réfléchissez sur les grandes vérités de la vie. En les nourrissant, en les sustentant, vous deviendrez ce que vous contemplez. Voilà ce que signifie « ruminer ». Les vaches qui paissent dans les champs, se couchent pour ruminer quand elles ont mangé. L'herbe, que la vache a mangée, va d'un estomac à l'autre. Dans le processus de la rumination, la nourriture qui n'est pas complètement digérée est régurgitée jusqu'à ce qu'elle devienne une masse tendre, le bolus, prête à être avalée.

C'est cela que vous faites lorsque vous méditez. Vous mangez mentalement les idées que vous contemplez, et vous êtes contraint d'exprimer ce qui est ainsi incorporé dans votre subconscience. Par exemple, vous pourriez mériter les notes les plus hautes dans un examen en métaphysique ou en philosophie sur une dissertation intellectuelle du sujet imposé, sans en avoir absorbé et intégré dans votre cœur la vérité. Ne l'ayant pas méditée, vous n'avez pas donné à cette vérité assez d'attention et de ferveur. Vous n'y avez pas assez réfléchi pour que cette vérité vous soit absolument claire, et devienne une vivante partie de vous-même.

Il faut que les lèvres et le cœur s'accordent, que le cerveau et le cœur s'unissent. Il faut que votre conscient et votre subconscient se synchronisent, s'accordent. C'est alors que vous avez « la corne fendue » et que vous aurez ruminé, figurativement parlant. C'est alors que les merveilles apparaissent dans votre vie.

Le septième verset du chapitre que nous examinons dit que l'on ne doit pas manger le chameau, le lièvre et le daman. Cela est facilement explicable. Il y a dans le monde des millions d'êtres qui ruminent toutes sortes de philosophies, d'enseignements et de cultes religieux variés mais qui, cependant, n'ont jamais « fendu la corne », n'ont pas réfléchi profondément, afin de séparer les croyances, les dogmes, les théories des spéculations de l'entendement collectif ignorant de la Vérité éternelle.

Il n'y a qu'Une Vérité, Une Loi, Une Vie, Un Dieu, le Père de tous, et la base de toutes les croyances religieuses, quelles qu'elles soient, est celle-ci : « **Tel un homme pense en son cœur, tel il est...** » (Proverbes 23 : 7). En d'autres termes, les idées, les pensées, les croyances acceptées s'impriment sur le subconscient et se manifestent en tant qu'expériences, conditions et événements.

Cette loi s'applique à tous les peuples du monde. Ce n'est point la chose que l'on croit qui a de l'importance ; c'est la croyance elle-même. Que l'objet de votre foi soit vrai ou faux, vous obtiendrez un résultat. Si vous croyez que les os des saints, ou les reliques d'un saint homme vous guérissent, votre croyance subconsciente obtiendra ses résultats. Ce ne sont point les os, ni les reliques qui les obtiennent. Par exemple, si vous substituiez, à la place des os d'un saint, ceux d'un chien, la personne qui toucherait ces os, pensant que ce sont ceux d'un saint, obtiendrait le résultat de sa conviction.

De nombreuses personnes « ruminent » d'une autre façon. Elles disent qu'elles étudient la science de l'esprit, la signification profonde de la Bible, et puis vous les voyez chercher des réponses à leurs problèmes par la Planche Ouija, ou dans l'étude des nombres, dans l'influence des astres sur leur vie, ou en questionnant l'esprit des désincarnés, etc. Ces personnes ont l'esprit confus, pour la simple raison qu'elles n'ont pas « fendu la corne » ; elles ne sont point parvenues à la claire compréhension de l'Unique et Indivisible Vérité.

La vérité, c'est que vos pensées et vos sentiments déterminent votre destinée. Votre avenir se construit par votre penser habituel et par votre imagerie mentale. La Loi de la Vie est la loi de la croyance. Croyez en la direction de Dieu, en Sa bonté, en Son abondance et en Son amour. Croyez à l'ordre divin, à ses principes et à la réponse de l'Intelligence Infinie.

Si vous cherchez la sagesse pour la solution de vos problèmes, allez à Dieu ; n'attendez pas des nombres, de la Planche Ouija, des cartes, des esprits désincarnés vos réponses. **« Si quelqu'un d'entre vous manque de sagesse, qu'il la demande à Dieu, qui donne à tous simplement et sans reproche... »** (Jacques 1 : 5).

Les animaux impurs, dans la Bible, représentent les fausses croyances religieuses qui empêchent votre croissance et vous maintiennent en esclavage. Ces croyances erronées dominent dans l'esprit de bien des gens, elles leur font mener des vies très négatives. Rejetez toute la propagande du monde ; refusez d'accepter tout ce qui est indigne du temple de Dieu que vous êtes. Repoussez toute nourriture impure telle que les suggestions négatives de toutes sortes ; elles n'ont point de pouvoir, à moins que vous leur en con-fériez. La puissance créatrice est en vous, dans vos propres pensées.

Brûlez toutes pensées négatives dans le feu de l'Amour divin. C'est ainsi que vous fendrez la corne et que vous ruminerez. C'est alors que vous dispenserez le bien. Nous ruminons lorsque nous méditons sur les grandes vérités, lorsqu'elles nous absorbent si intensément qu'elles s'intègrent dans notre mentalité et deviennent partie de nous. Voilà pourquoi Moïse dit que nous pouvons manger la vache, parce que faisant les deux, elle est pure.

Le porc, qui fend la corne mais ne rumine pas, est donc considéré comme étant impur. Bien des gens savent la vérité, ils étudient l'ontologie et la psychologie, mais ils ne digèrent pas, n'absorbent pas ces sciences. Ils ne les mettent pas en pratique, ils en parlent et en restent là. Les vérités éternelles doivent être incorporées au subconscient ; c'est alors que nous sommes contraints de les exprimer.

Le chameau et le lièvre sont impurs parce qu'ils ruminent mais ne fendent point la corne. Ce qui signifie que les gens écoutent toute sorte de propagande, se mettent à pratiquer toutes sortes de cultes et de philosophies. Mélangeant le vrai et le faux, ils restent perplexes, névrosés, repliés sur eux-mêmes, de sorte que la peur se mélange à la foi, la bonne volonté à l'hostilité et la paix à l'inquiétude.

La Bible dit que nous pouvons manger les poissons qui ont des nageoires et des écailles. Symboliquement, cela est une profonde vérité, une des grandes allégories de la Bible. Les écailles représentent la protection ; en avançant dans la vie, comprenez que la Présence Tutélaire vous protège et que toute l'armure de Dieu vous entoure à tous moments. Votre vie sera enchantée.

La nageoire, cette membrane, permet au poisson de se diriger sans être sujet aux vagues et aux marées de l'océan, comme le sont ceux qui ne la possèdent pas. Souvent nous voyons des poissons sans écailles et sans nageoires rejetés sur les plages où ils meurent.

Lorsque vous avez Dieu pour guide et pour conseiller dans votre vie, vous cessez d'aller à la dérive, parce que votre pensée maîtresse est celle de la certitude de la direction divine et vous êtes guidé dans les chemins agréables, dans les voies de la paix.

Lorsque la suggestion de la défaite, de l'échec ou du découragement vient à l'esprit de celui qui est plein de confiance et de foi, il prend le problème à bras-le-corps courageusement et avance contre le vent de la dépression et du défaitisme. Il dirige son esprit vers le but, le désir de son cœur, et il gagne, sain et sauf, la terre. Il gagne, parce que l'Infini qui est en lui ne peut faillir.

« **Vous mangerez de tous les oiseaux purs** », signifie symboliquement que nous avons, comme les oiseaux, deux ailes : l'aile de la pensée et l'aile de l'imagination. Avec elles nous pouvons nous élever au-dessus des orages et des conflits du monde et reposer dans le Lieu Secret (3) où tout est béatitude, harmonie et paix. Là nous pouvons demeurer au-delà du temps et de l'espace, loin des opinions et des verdicts du monde, pour revendiquer notre bien. L'Esprit honorera et validera l'image que nous maintiendrons en la sentant vraie.

Les oiseaux qui se nourrissent de cadavres sont proscrits par Moïse. Ne touchez pas au passé mort. Bien des personnes ruminent des contrariétés passées, des affronts, des échecs, des pertes, des procès, etc., et s'en réinfectent constamment. Se permettre la jalousie, la haine, le désir de vengeance c'est se nourrir d'impuretés, ce qui nous prive de la santé, de vitalité, d'enthousiasme et fait de nous des loques. Cette nourriture mentale-là, c'est du poison. Voilà pourquoi Moïse dit : « **Vous ne mangerez point le vautour, le faucon...** »

« **Et tout reptile qui vole est impur...** » ·

Bien des gens rampent à travers la vie, absorbant mentalement les croyances du monde, ils ne s'élèvent et ne croissent pas. Il nous faut quitter les pensées poussiéreuses et boueuses du monde et monter spirituellement en reconnaissant que nous sommes enfants de Dieu, héritiers de toutes Ses richesses. Il faut enlever la boue de dessus nos ailes et nous élever spirituellement par la contemplation en nous-même de la Présence de Dieu.

« **Tu ne feras pas cuire un chevreau dans le lait de sa mère** » est une déclaration biblique de signification profonde. Un chevreau est un symbole de sacrifice, et le lait celui de la nourriture, d'une nourriture universelle. Le chevreau devient chèvre et la chèvre est rétive, entêtée. Si, par exemple, vous vous

---

3. Allusion au Psaume 91 (N.T.).

permettez de nourrir un ressentiment profond, vous élaborez un poison mental qui va croître et devenir une excroissance, une tumeur. Vous ne pouvez vous permettre de nourrir la colère, car alors vous deviendriez la chèvre et souffririez les conséquences de votre nourriture mentale. Nourrissez-vous de tout ce qui est beau et de bon aloi ; les merveilles apparaîtront dans votre vie.

9

L'union mentale
et divine

Je visitais le Japon, où se trouve le Mouvement Seicho-No-Ie (ce qui signifie Vie Infinie), pour la troisième fois. Ce Mouvement fut fondé et il est dirigé par le docteur Masaharu Taniguchi, que l'on appelle parfois le Gandhi du Japon. L'enseignement fondamental de cet organisme est le même que celui des Lois de l'Esprit, ou du Mouvement de la Science Divine aux Etats-Unis. On pourrait l'appeler le Mouvement de la Pensée Nouvelle du Japon. Aux Etats-Unis la Pensée Nouvelle réunit Unity, Religious Science, Science of Mind, Divine Science et les Centres de Vérité.

Nous nous rendîmes par avion jet à Osaka et ensuite à Kyoto qui est une des capitales du Japon antique. La visite de ses temples, de ses jardins, de ses palais nous enthousiasma. De Kyoto, nous allâmes à Nara, capitale la plus ancienne du Japon. Nous visitâmes le Temple Totaji qui contient le Bouddha le plus grand du monde, ainsi que le Temple Kasuja. Nous volâmes au-dessus de la pittoresque campagne japonaise vers Stami et nous vîmes l'impressionnant Bouddha dont la statue fut sculptée en 1252.

Tokyo est plein de choses intéressantes, la Place du Palais Impérial, l'édifice de la Diète et le Temple Meiji. Nous fûmes tous ravis par la cérémonie du thé et par la leçon de décoration florale à la célèbre Maison de Thé.

C'est à Tokyo que me vint l'idée de ce chapitre par une question que me posa un étudiant du docteur Taniguchi. Il étudiait la signification ésotérique de l'Ancien et du Nouveau Testament, et me posa deux questions : « *Pourquoi la Bible parle-*

t-elle, dans le septième chapitre des Proverbes, de la femme étrangère et des prostituées ? Pourquoi le Deutéronome 23 : 2 dit-il : « Celui qui est issu d'une union illicite n'entrera point dans l'assemblée de l'Eternel... » ? »

Voici les réponses que je donnai à ce jeune étudiant qui va devenir ministre à Tokyo (1) : dans la Bible, le mariage signifie l'union mentale et émotïonnelle avec les vérités éternelles, c'est-à-dire avec tout ce qui est beau, juste, bon. Une fausse croyance, née hors de cette véritable union, n'est qu'un bâtard, fils de prostituée, c'est-à-dire d'émotions indisciplinées, négatives. Une idée bâtarde est une croyance fausse, l'acceptation de contre-vérités au sujet de Dieu.

Quand vous priez, il faut que vous connaissiez votre Père-Mère Dieu ; en langage psychologique, il faut avoir conscience de l'interaction de votre esprit conscient (père) et de votre subconscient (mère). Lorsque les deux s'unissent dans l'harmonie et dans la paix basée sur les vérités éternelles, les enfants de cette union sont la santé, le bonheur, la prospérité, la sagesse, la compréhension. Tout dépend de la nature de votre pensée.

« Car tu as eu cinq maris... » (Jean 4 : 18 (2)) ; Esaïe, (54 : 5) nous dit : **« Ton Créateur est ton époux... »** Les cinq maris sont nos cinq sens. Il est parfaitement insensé de vous permettre d'être imprégné par toutes les idées fausses, les propagandes et les craintes qu'engendrent les masses. La progéniture de cette avalanche n'est pas saine et ne convient nullement à la maison de Dieu (votre esprit).

Ton Créateur est ton époux, ce qui signifie que vous devez vous unir aux idées, aux pensées divines, en imprégner votre conscient et votre subconscient. Autrement dit, il faut que vous pensiez, parliez et agissiez selon les principes éternels, de même qu'un chimiste pense et agit selon les principes de sa science. C'est alors que vous avez Dieu pour époux en ce sens que vous pensez selon la Vérité.

---

1. Les leaders des Mouvements de la Pensée Nouvelle sont appelés « ministres » en pays anglo-saxon. N'oublions pas que « ministre » signifie « serviteur » (N.T.).

2. Allusion au discours de Jésus à la Samaritaine (N.T.).

Lorsque vous exaltez constamment la Présence de Dieu en vous-même, vous ne pouvez plus donner naissance aux idées fausses auxquelles vous bornent vos cinq sens. Vous êtes parvenu au point où vous contemplez les vérités de Dieu au plus haut niveau.

« Dis à la sagesse : tu es ma sœur ! et appelle l'intelligence ta parente, pour qu'elles te préservent de la femme étrangère, de l'étrangère qui emploie des paroles doucereuses. »

« J'étais à la fenêtre de ma maison, et je regardais à travers mon treillis. J'aperçus parmi les stupides, je remarquai parmi les jeunes gens un garçon dépourvu de sens. Il passait dans la rue, près de l'angle où se tenait une de ces étrangères, et il se dirigeait lentement du côté de sa demeure. C'était au crépuscule, pendant la soirée, au milieu de la nuit et de l'obscurité. »

« Et voici, il fut abordé par une femme ayant la mine d'une prostituée et la ruse dans le cœur. Elle était bruyante et rétive ; ses pieds ne restaient point dans sa maison, tantôt dans la rue, tantôt sur les places, et près de tous les angles, elle était aux aguets. »

« Elle le saisit et l'embrassa, et d'un air effronté lui dit : j'ai orné mon lit de couvertures, de tapis de fil d'Egypte ; j'ai parfumé ma couche de myrrhe, d'aloès et de cinnamome. Viens, enivrons-nous d'amour jusqu'au matin, livrons-nous joyeusement à la volupté... Car elle a fait tomber beaucoup de victimes, et ils sont nombreux ceux qu'elle a tués. Sa maison est le chemin de l'enfer ; il descend vers les demeures de la mort. » (Proverbes 7 : 4-5, 13, 16-18, 26-27).

Sans allégorie, vous ne pouvez comprendre la vie. **« Il ne leur parlait point sans parabole... »** (Matthieu 13 : 34). Il faut que nous comprenions la signification de ces versets, elle est profonde ; elle nous enseigne à nous servir convenablement des lois de la vie. Il faut que nous comprenions les symboles ; la grande étude de la Vérité est l'étude des symboles.

Ces versets des Proverbes nous parlent d'un jeune homme séduit par une des dames de la nuit, ce qui n'a rien de nouveau puisque cela a lieu tous les jours tout autour du monde. Il faut que nous examinions attentivement la Bible pour percevoir la sagesse que l'auteur des Proverbes cherche à nous impartir. L'adultère, dans la Bible, c'est l'idolâtrie, c'est l'adoration de faux dieux.

Lorsque votre esprit cohabite avec quelque mal que ce soit, vous commettez l'idolâtrie en introduisant des pensées empoisonnées, des idées fausses dans le sanctuaire de Dieu en vous.

Commettre l'adultère

Si vous adorez les astres, si vous dites qu'ils ont puissance sur vous et qu'ils sont cause de votre infortune, vous commettez l'adultère parce que vous faites de la chose créée plus de cas que du Créateur. Vous adultérez votre esprit en y introduisant l'opposition à l'Infini qui est Omnipotence.

Entretenir le ressentiment, la haine, être jaloux ou envieux, c'est aussi cohabiter avec le mal. Il y a la perversité de l'esprit autant que celle du coprs ; en fait, nous commettons l'adultère mental lorsque nous nous unissons aux fausses croyances, quelles qu'elles soient.

Mariages mentaux

Nous contractons tous ces mariages lorsque nous nous unissons mentalement et émotionnellement à une idée — bonne ou mauvaise — et, naturellement, cette union va produire une progéniture semblable, la santé ou la maladie, la prospérité ou la pauvreté, la joie ou la tristesse. Tout cela en vertu de la loi de correspondance ; ce qui signifie que tout ce qui nous arrive a son équivalence dans notre subconscience.

Le danger de la propagande

Il faut que vous vous discipliniez à rejeter les suggestions et la propagande intensive au sujet du cancer, des maladies cardiaques, que l'écran de la télévision dispense. Ceux qui ne se plient pas à cette discipline de leur esprit créent souvent cela même dont ils ont peur. Cela est le résultat d'une union malsaine ; votre pensée et votre sentiment vous donnent un résultat ; ce résultat c'est « le fils », la manifestation de cette union.

Il nous faut être attentifs à ne pas cohabiter avec « l'étrangère », la peur, la haine, la jalousie, l'envie, le ressentiment, qui ont pour résultat toutes sortes de maladies, de manques et de limitations.

Etes-vous victime de la suggestion ?

La peur, qui s'est récemment emparée de toute la nation, la peur de la grippe, est une autre « étrangère ». Selon la presse, un grand nombre de personnes a souffert de paralysie et d'autres malaises à la suite de la vaccination. Les suggestions, la propagande au sujet de la grippe n'ont aucun pouvoir sur vous, sauf à travers votre propre penser. Rejetez-les complètement et affirmez la vérité éternelle : *« JE SUIS la santé parfaite. Dieu est ma santé. »*

Acceptez la vérité de cette déclaration, vous vous immuniserez ainsi contre toute cette effrayante propagande. De nombreux médecins de premier plan l'ont ouvertement critiquée.

Votre épouse véritable

Vous êtes marié à l'estime, au concept que vous avez de vous-même. Affirmez-en vous-même le plus haut, le meilleur ; reconnaissez que vous êtes uni à Dieu, que Dieu est votre Père et votre Mère et qu'Il vous aime et a soin de vous. Si vous êtes un homme, affirmez hardiment : *« JE SUIS un Fils du Dieu vivant et JE SUIS héritier de toutes Ses richesses. »* Si vous êtes une femme, déclarez hardiment : *« JE SUIS une fille du Dieu vivant et JE SUIS héritière de toutes Ses richesses. »* Les merveilles se produiront dans votre vie.

Que vous soyez homme ou femme, vous êtes toujours marié à l'idée que vous acceptez. Le résultat de cette union mentale et émotionnelle se produit dans la forme, l'expérience, les conditions et les événements.

Tomber amoureux

Tombez amoureux, éprenez-vous (épousez) des idées qui vous guérissent, vous bénissent, vous rendent prospère, vous guident, vous inspirent, vous fortifient et vous élèvent. Occupez votre esprit de ces concepts, ainsi vous ne laisserez aucune place pour la fausse propagande. Epousez la Vérité, qui ne change jamais ; vous aurez pour progéniture la santé, la vitalité, la sagesse, la compréhension.

« Dis à la sagesse : tu es ma sœur ! et appelle l'intelligence ta parente » (Proverbes 7 : 4). Votre sœur est la sagesse, c'est-à-dire la conscience de la Présence et de la Puissance de Dieu en vous. La compréhension est le fait de vous tenir fermement sur la Vérité, sachant que ce que vous revendiquez en en sentant la véracité, votre subconscient vous le donnera. C'est alors que vous aurez trouvé votre véritable épouse.

Jeûnez et priez

« Voici le jeûne auquel je prends plaisir : détache les chaînes de la méchanceté, dénoue les liens de la servitude, renvoie libres les opprimés, et que l'on rompe toute espèce de joug » (Esaïe 58 : 6).

Les opprimés, ce sont vos désirs insatisfaits, les idéaux que vous n'avez point atteints. Libérez-les en prenant conscience de ce que Dieu coule en vous, remplissant tous les vases vides de votre vie.

Le joug que nous devons briser se réfère aux craintes et aux limitations qu'entretient notre subconscience. Elles sont écartées lorsque nous la remplissons des vérités de Dieu, la nettoyant ainsi dans l'Ordre divin.

Le jeûne dont parle la Bible signifie que nous devons nous abstenir de penser des idées, des concepts qui ne sont pas conformes aux éternelles vérités.

Apprenez à jeûner en éludant les festins empoisonnés du monde. Le vrai jeûne est psychologique ; c'est le fait de détourner l'attention des fausses suggestions et des concepts erronés au sujet de Dieu pour se repaître de ces éternelles vérités qui guérissent, bénissent et dignifient l'âme. Devenez un vrai pionnier, prenez de nouveaux chemins, ceux d'une imagination, d'un penser spirituels.

Vêtir ceux qui sont nus

« Partage ton pain avec celui qui a faim, et fais entrer dans ta maison les malheureux sans asile ; si tu vois un homme nu, couvre-le... » (Esaïe 58 : 7).

Ceux qui ont faim, les pauvres, ce sont vos espoirs, vos désirs, vos idéaux, vos desseins, vos buts non encore réalisés. Ils viennent au temple de votre propre esprit pour être acceptés et réalisés. Tout ce qui est accepté par votre esprit entre dans votre expérience. Que votre esprit soit un temple merveilleux dans lequel vos idéaux seront nourris et vêtus de foi et de confiance.

Les « nus » ce sont vos idéaux que vous ne nourrissez point, au vu desquels vous n'agissez pas encore. Attachez-vous émotionnellement à votre idéal, il prendra forme. Tout ce avec quoi vous vous unissez mentalement et émotionnellement s'accomplit dans l'Ordre divin.

« L'Eternel... rassasiera ton âme dans les lieux arides, et il redonnera de la vigueur à tes os ; tu seras comme un jardin arrosé... » (Esaïe 58 : 11). Les « os » représentent la structure de votre esprit, votre imagerie mentale. Il faut la vêtir et la vivifier. Autrement dit, il faut que vous preniez l'idée (l'os) dans votre esprit pour en sentir la réalité.

De même, le projet, l'idée, le désir dans votre esprit, s'il est vêtu de foi, d'assurance, de confiance, va s'imprimer dans votre subconscience et prendre forme. Il faut que vous soyez nourri mentalement et spirituellement, autant que physiquement. Reconnaissez votre Soi Supérieur et réalisez votre union avec Lui.

La santé jaillit vite

« Alors ta lumière poindra comme l'aurore, et ta guérison germera promptement ; ta droiture marchera devant toi, et la gloire de l'Eternel t'accompagnera » (Esaïe 58 : 8).

Cela est un paragraphe des plus importants, d'une signification profonde pour tous ceux qui étudient la prière scientifique.
Lorsque vous avez observé le jeûne des pensées négatives et fait
appel à l'Infinie Présence Curative pour obtenir la santé, la beauté
et la perfection, votre santé devrait rapidement s'établir. S'il en est
autrement, faites ce qui est secondairement le meilleur : consultez
un médecin, dentiste, ostéopathe ou chiropracteur, selon ce
qu'exige votre état. Il est stupide d'attendre et de laisser s'aggraver
la maladie.

Si vous n'êtes point encore capable de faire pousser une dent,
allez voir un dentiste et bénissez-le. Si vous ne parvenez pas à faire
rapidement résorber une tumeur, allez immédiatement consulter
un chirurgien et bénissez-le. Lui aussi est l'homme de Dieu. Toute
guérison est spirituelle pour l'unique raison qu'il n'y a qu'Une
Présence Curative. « ...**Je suis l'Eternel qui te guérit** » (Exode
15 : 26).

Si vous pouvez vous précipiter de Californie à New York,
vous n'aurez pas besoin d'un avion, ni d'autre moyen de
transport. Mais, plutôt que d'aller à pied, je vous suggère de
prendre l'avion ou le train. Ce qui ne veut pas dire que, si vous
aviez atteint un haut niveau de conscience-d'être, vous ne
pourriez pas vous rendre de Californie à New York sans aucun
moyen objectif de transport.
Si vous étiez à même de dématérialiser votre corps, faisant en
sorte que les électrons se rassemblent pour se précipiter à New
York, vous n'auriez besoin d'aucun transport. A travers les âges,
certains hommes ont été capables d'apparaître et de disparaître à
volonté. Les Evangiles rapportent que Jésus disparut dans la
multitude. Votre corps n'est point solide ; il est composé d'ondes
de lumière. Un savant a dit récemment que le corps est composé
d'un nombre octillion d'atomes, ce qui est au-delà de notre
imagination. L'octillion, c'est une unité suivie de dix-huit zéros.

Les niveaux de la foi

Si vous ne pouvez dissoudre une tumeur, si elle ne disparaît
pas rapidement après votre prière, cela signifie que vous n'avez
pas atteint le niveau de foi nécessaire. Si vous êtes capable

d'arrêter une hémorragie, ce sera merveilleux, mais si votre prière n'y parvient pas, il faut appliquer un tourniquet en attendant un médecin.

Si vous pouvez sauver une enfant de la noyade en prononçant pour elle la Parole, parfait. Sinon, jetez-vous à l'eau tout habillé et allez la sauver. Si vous aviez la foi absolue, l'enfant serait élevée hors de l'eau ; vous n'auriez pas à y sauter.

Aspirer à la foi n'est point avoir la foi. Affirmer *« Dieu me guérit à présent »* n'obtiendra pas nécessairement de résultat s'il y a une peur subconsciente de la maladie ou la croyance de son incurabilité. Il faut que toute peur soit éliminée de l'esprit. Agissez selon le niveau de votre conscience, de votre foi. Vous pouvez toujours croître dans votre conscience comme vous pouvez accroître votre foi dans les mathématiques, la chimie ou quelque autre principe, par la pratique.

L'entendement des masses et la loi des moyennes

Sachez bien que si vous alliez toujours dans la conscience de l'amour et de la paix de Dieu, vous seriez immunisé contre tout mal, toute maladie, toute détresse. Nous sommes tous dans l'entendement de la masse. Si vigilants que nous soyons, quelques-unes de ses vibrations négatives nous pénètrent ; c'est l'ivraie dont parle la Bible qui croît avec le bon grain ! L'ivraie c'est la pensée négative, les craintes, les fausses croyances de l'entendement des masses qui pénètrent notre esprit, lorsque nous ne prenons pas garde.

Voilà pourquoi il nous faut être constamment sur le *qui vive* (3) et prier sans cesse ; il n'y aura pas alors de plaie dans notre esprit pour ces émanations subjectives négatives qui nous viennent des quatre milliards d'êtres sur terre. Subconsciemment, nous sommes tous unis et nous communiquons sans cesse les uns avec les autres télépathiquement. Voilà pourquoi le Psaume 91 nous enjoint de demeurer dans le lieu secret, à l'ombre du Tout-Puissant. **« Aucun mal ne t'atteindra, aucun fléau n'approchera de ta tente »** (Psaume 91 : 10).

---

3. En français dans le texte (N.T.).

Croître dans la foi

En continuant de pratiquer la Présence de Dieu, nous croîtrons en foi et en compréhension. Peu à peu, nous aurons de la Présence de Dieu une conviction telle que lorsque nous dirons : « **...Etends ta main...** » (Matthieu 12 : 13), cette main sera guérie ; il nous sera fait selon « la Parole ».

Que nos affirmations de la vérité soient une convaincante démonstration de l'Esprit. Vous faites la preuve de votre foi en mettant à l'œuvre les lois de l'Esprit et en en obtenant des résultats. Les résultats tangibles nous affermissent dans la connaissance de la vérité qui vous affranchit de tout mal.

« **Alors ta lumière poindra comme l'aurore, et ta guérison germera promptement...** » (Esaïe 58 : 8). « **Non, la main de l'Eternel n'est pas trop courte pour sauver, ni son oreille trop dure pour entendre** » (Esaïe 59 : 1).

Mais l'homme est prompt à ignorer cette possibilité. Il a peine à croire aux merveilles de Dieu, disant : *« Oui, bien sûr, mais, après tout, nous vivons dans un corps physique ; et si j'étais né avec un bras raccourci, je n'y pourrais rien. »* Ce n'est que des lèvres qu'il répète ce que dit l'Evangile : « **Avec Dieu toutes choses sont possibles** » (Marc 10 : 2).

Ce grand guérisseur anglais, le célèbre Harry Edwards, en imposant les mains, a accompli de merveilleuses guérisons de toutes sortes de maladies. Cet homme-là croyait bien qu'avec Dieu toutes choses sont possibles.

« **Ils couvent des œufs de basilic, et ils tissent des toiles d'araignée. Celui qui mange de leurs œufs meurt...** » (Esaïe 59 : 5). Le conflit des croyances est ici décrit graphiquement. Les résistances aux guérisons spirituelles et aux bonnes choses de la vie semblent régner sur ce monde ; telle est la signification de ces *« tissages des toiles d'araignée »*.

Aujourd'hui, des millions d'êtres sont surstimulés, mais spirituellement ignorants. Nous les voyons suivre par milliers des cultes de toutes sortes tels que le satanisme, la sorcellerie, le vaudou, etc., ce qu'Esaïe appelle *« les œufs de basilic »*.

Le besoin est criant d'une renaissance mentale et spirituelle pour que nous échappions aux nuages d'iniquités qui nous menacent. Il faut que nous trouvions la paix dans la Présence Intérieure de Dieu et que nous allions en avant et plus haut, de gloire en gloire.

10

Vos pouvoirs spirituels

En arrivant à Honolulu, chacun fut ravi de se retrouver sur le sol des Etats-Unis. Le tour de l'île de Oahu permet de voir ses plus belles vues telles que Sealife Park, un des plus beaux aquariums du monde, et Pearl Harbour, qui est des plus intéressantes.

Mais la plus fascinante, la plus colorée des îles est la grande Hawaii. Après quelques jours à Hawaii, nous prîmes le vol vers San Francisco pour y passer une bonne nuit reposante avant le retour chez soi. Mon « home » est au 3242 — 2 H San Amadeo, Laguna Hills, California 92653 (U.S.A.).

Un message spirituel

Pendant ma première semaine de résidence à Leisure World, un homme vint me voir, me demandant d'interpréter un rêve qu'il pensait être très important. Ce rêve s'était produit pendant trois nuits consécutives ; ce qui est fort important en effet, parce que cela signifie : *« Arrête-toi, regarde et écoute. »*

Un homme lui était apparu dans ce rêve et lui avait dit : *« C'est la troisième fois que je viens à toi. Dans la bouche de deux ou trois témoins chaque parole sera établie. »* Ces paroles sont celles de II Corinthiens 13 : 1. Au verset 5 de ce même chapitre nous lisons : **« Examinez-vous vous-mêmes pour savoir si vous êtes dans la foi ; éprouvez-vous vous-mêmes. Ne reconnaissez-vous pas que Jésus-Christ est en vous ? A moins que vous ne soyez réprouvés... Soyez parfaits, ayez bon courage, ayez un même sentiment, vivez en paix, et le Dieu d'amour et de paix sera avec vous »** (II Corinthiens 13 : 11).

L'homme qui me consultait étudiait la Bible, et son subconscient répondait à son problème sous la forme des versets de cette deuxième Epître aux Corinthiens, qui avaient pour lui une signification profonde. Dans l'enseignement ésotérique, caché, de la Bible, les principes sont personnifiés pour être plus vivants et leur intervention rendue plus forte.

La signification de la troisième visite dont parle Paul et des deux ou trois témoins ne peut s'expliquer que lorsque nous comprenons que les personnes, les noms, les lieux, les voyages et les événements sont les symboles des changements de notre esprit. Paul signifie « petit Christ », l'homme qui s'éveille à la Puissance de Dieu en lui-même. Il vient en trois visites et dit à l'homme ce qu'il doit faire. La première visite est une conception, un désir, une idée dans son esprit. Cet homme avait perfectionné une invention qu'il essayait de négocier, mais il avait été refusé par plusieurs firmes. Il doutait à présent de sa réussite et avait une peur profonde d'être rejeté.

Je lui expliquai qu'il fallait d'abord qu'il donne toute son attention à son idée, sachant que l'Intelligence Infinie qui la lui avait inspirée lui révélerait aussi le moyen parfait de sa diffusion. Il devait imaginer, chaque soir avant de s'endormir, que sa femme le féliciterait de son succès, de l'acceptation de son invention. En bref, il devait imaginer la fin heureuse, la Solution divine. Je lui recommandai de se mettre d'abord dans un état de détente jusqu'à la somnolence, avant de s'imaginer que son épouse le congratulait.

Dans cet état passif, subjectif, il allait imprégner son subconscient, et en répétant ce procédé, l'idée peu à peu pénétrerait sa subconscience et deviendrait une conviction. Les résultats suivraient inévitablement. Cela est le stade du deuxième témoin où l'on commence à sentir la possible réalisation du désir.

La troisième visite, le troisième témoin, est encore à venir, c'est-à-dire la manifestation extérieure qui fait suite au sentiment d'intime conviction de la victoire.

Mon explication satisfit mon consultant. Au bout d'une semaine, au cours d'une réception, il rencontra un savant japonais qui appartenait à une grande organisation. Son invention fut achetée et il en reçoit des royalties à sa complète satisfaction.

La signification profonde de « Je suis Christ »

Paul dit : « **Ne savez-vous pas... que Jésus-Christ est en vous, à moins que vous ne soyez réprouvés ?** » (II Corinthiens 13 : 5). La signification profonde de cela est la suivante : Jésus est JE SUIS. Le Christ est la Présence de Dieu en vous. Jésus-Christ est votre propre JE SUIS, Présence et Puissance de Dieu en vous-même ; voilà ce que dit Paul. Psychologiquement parlant, vous êtes Jésus-Christ en action quand votre conscience et votre subconscience se synchronisent, s'accordent sur les vérités éternelles. Votre prière est toujours exaucée lorsqu'il n'y a plus de discussion dans votre cerveau et dans votre cœur. Quand ils s'accordent, s'unissent harmonieusement, ce mariage engendre la joie de la prière exaucée.

Alors, vous n'êtes plus « réprouvé », car vous savez que la solution de tous les problèmes est en vous. Vous ne reconnaissez plus aucune autre puissance que celle de l'Esprit Tout-Puissant qui est en vous et Qui seul connaît la réponse. Jésus (le conscient illuminé, éclairé) revêt le Christ (la sagesse du subconscient) et, pleinement intégré, devient Jésus-Christ, l'homme idéal !

Alignez-vous à l'infini

Un petit garçon exaspéra son père, parce qu'il avait complètement reconstitué en quelques minutes la carte du monde, au lieu de donner à ses parents l'heure de tranquillité qu'ils souhaitaient. Lorsqu'on lui demanda comment il avait si rapidement réussi à rassembler le monde, l'enfant répondit : « *Mais, papa, j'ai simplement reconstitué l'homme qui était sur l'envers de la carte.* » La morale de cette histoire est la suivante : l'homme doit s'unir à son Soi-Dieu, s'intégrer dans le sentiment de son union avec la « *Divinité qui façonne nos devenirs* (1) ».

*
*　*

---

1. Shakespeare (N.T.).

Apprenez à vous conditionner spirituellement

Commencez à penser, à parler et à agir depuis le Centre Divin et non plus depuis la structure surimposée de la peur, de l'ignorance et de la superstition. Affirmez constamment : *« Dieu pense, parle, agit et réagit à travers moi. »* Pensez et parlez du point de vue de l'harmonie, de la santé, de la paix, de la joie, de l'amour, de la beauté et de l'action juste. Si vous êtes un professeur de mathématiques, vous pensez et vous parlez du point de vue des principes de votre science ; de même, mettez-vous à penser et à agir du point de vue des principes de la vie qui est éternelle, inchangeable.

Apprenez à vous conditionner selon les vérités de Dieu uniquement, tandis qu'elles résonnent dans le silence de votre âme, afin que vous ne soyez pas effrayé par le fracas, le bruit et la propagande du monde, mais que vous suiviez votre Voix intérieure ; elle vous assurera la victoire sur les négations du monde.

Les chevaux arabes

Récemment, j'ai entendu parler un entraîneur sur la manière dont les chevaux sont dressés à réagir au seul son de la trompette. Pendant quatre jours et demi ni nourriture ni eau ne leur sont données, après quoi, on leur apprend à répondre à divers sons de la trompette.

De même, nous devons nous abstenir de la nourriture du monde que représente la propagande de la peur, de la maladie, de la guerre, et des pronostics et prédictions de catastrophes. Il nous faut boire les eaux de vie que sont l'inspiration, l'amour, la joie, la gaieté ; il nous faut une transfusion de confiance et de foi dans la bonté de Dieu.

Qu'est-ce que l'éducation ?

« Education » signifie tirer de nos profondeurs subjectives la sagesse, l'intelligence et la puissance, qui vont nous aider à mener une vie pleine, heureuse et coordonnée. Je me suis entretenu avec de nombreux étudiants universitaires qui avaient acquis de grandes connaissances ; cependant leur vie personnelle était très désordonnée. Ce qu'ils avaient appris semblait n'avoir pas de rapport avec leur vie, à leurs activités quotidiennes.

L'éducation devrait construire le caractère et la moralité. Le savoir est important, mais il doit être sagement employé. Le facteur qui donne le succès dans l'art de vivre, la vitalité, l'accomplissement, ce n'est point la seule connaissance, mais l'inspiration, la sagesse, l'enthousiasme, la cordialité, la bonne volonté. La soi-disant éducation progressive est complètement dans l'erreur en déclarant que nous ne devons pas apprendre à mettre un frein à certaines pulsions, à certains instincts qui sont néfastes à la croissance du caractère et à l'existence sociale.

Le jeune garçon, la jeune fille doivent être formés à une inhibition convenable. Le monde est plein d'épaves d'érudits. Leur penser négatif et destructeur est cause de leur déroute.

La sagesse est en vous

Un hommė d'un certain âge rencontré à l'Hôtel Hilton à Honolulu me montra une branche fourchue de coudrier dont il se sert pour trouver de l'eau dans des endroits où les gens disent qu'il n'y en a pas. Cet homme a une sagesse naturelle, il croit que l'intelligence de sa subconscience va le guider au point exact où se trouve l'eau.

Il me dit que son père et son grand-père avaient été radiesthésistes aussi et qu'ils avaient eu d'extraordinaires succès, trouvant également du pétrole et des minéraux. Ils avaient été employés par de grandes corporations. Ils avaient communiqué leur certitude à cet homme dès son enfance, et celui-ci leur avait fait entièrement confiance. Son subconscient lui répondait en conséquence. Il me dit qu'il sentait « une poussée » vers un endroit où se trouvait l'eau, si aride et si improbable que cela paraisse. Il s'était, me dit-il, rarement trompé.

Il ne trouvait pas étrange que sa baguette agisse ainsi. Il savait qu'il n'y avait en elle aucune puissance, qu'elle n'était qu'un moyen d'interroger le subconscient. La sagesse du subconscient agissait sur la baguette et la réponse qu'il cherchait lui était révélée. Il savait aussi à quelle profondeur il fallait creuser pour trouver l'eau, et les géologues confirmaient ses dires.

La sagesse des âges est cachée dans vos profondeurs subjectives. Servez-vous des outils de la foi et de la confiance pour ouvrir ses vastes réservoirs. Les merveilles abonderont dans votre vie.

Son nom est merveilleux

Il y a quelque temps, j'eus l'occasion de parler à une veuve à Reno (Nevada), qui me conta quelque chose de fort intéressant. Elle me dit qu'à un moment donné tout allait au plus mal dans sa vie : finances en désordre, problèmes familiaux, discordes. Un jour, se tranquillisant, elle affirma pendant environ une demi-heure : *« C'est merveilleux ! »* Elle ne se demanda pas : *« Qu'est-ce qui est merveilleux ? »* Elle se disait que son affirmation signifiait que Dieu accomplissait des merveilles dans tous les aspects de sa vie et que ce mot « merveilleux » embrassait tout ce que son cœur désirait.

Elle pratiqua cette technique de méditation pendant une demi-heure trois fois par jour. Le troisième jour, elle fut saisie d'un désir intense de jouer au casino ; elle gagna une très forte somme d'argent. Elle fut à même de payer toutes ses notes et il lui resta une somme considérable qu'elle plaça. Sa réussite lui attira beaucoup d'admiration, en particulier celle d'un homme de profession libérale, dont elle s'éprit et qu'elle épousa. Toute sa vie fut transformée.

« C'est merveilleux ! » comprend tout ce que vous pouvez désirer... **« On l'appellera Merveilleux, Conseiller, Dieu puissant, Père éternel, Prince de la Paix »** (Esaïe 9 : 6).

Il voulait écrire

Dernièrement, un instituteur me raconta qu'il s'était mis à agir mentalement, comme si les éditeurs se disputaient ses manuscrits bien que plusieurs les lui eussent retournés, apparemment sans les lire. Il se mit à penser qu'il recevait des lettres de plusieurs d'entre eux qui acceptaient ses écrits.

Il continua ce drame imaginaire pendant dix à quinze minutes chaque soir pendant environ deux semaines. Un matin, il fut saisi de l'inspiration d'un récit tout à fait original. L'ayant écrit, il l'envoya à l'un des éditeurs qui avait refusé ses ouvrages, celui-ci fut accepté avec *éclat* (2). Puisqu'il avait assumé le talent nécessaire, son subconscient lui en donna la capacité et ce qui lui permettrait de s'accomplir en tant qu'écrivain. Il comprit que le fait que l'éditeur accepterait son manuscrit serait preuve de sa capacité de création.

Comment il obtint sa promotion

Un jeune vendeur avait lu un de mes livres, *La Puissance de Votre Subconscient* (3). Il me dit que chaque soir, il se détendait parfaitement jusqu'à être dans un état de pré-somnolence. Il imaginait alors qu'il se trouvait en présence de son patron qui le félicitait sur son activité et lui annonçait sa promotion. Il se représentait cette scène jusqu'à en sentir avec précision la réalité immédiate, allant jusqu'à la poignée de main cordiale échangée avec son directeur.

Cet homme avait compris que ce qui avait lieu subjectivement, dans son esprit, s'objectifierait tôt ou tard. Il ne se voyait pas dans un avenir plus ou moins proche, mais dans le présent ; souvenez-vous que l'événement futur est dès à présent une réalité dans les niveaux élevés de votre esprit. Vous ne vous voyez pas comme si vous étiez sur un écran de cinéma ; au contraire, vous vous sentez dans l'action ici-même, dans le présent. Voilà la voie du succès.

Comment prier pour les autres

Si quelqu'un vous demande de prier pour lui, qu'il s'agisse de maladie, de pauvreté ou de tout autre problème, il faut en

---

2. En français dans le texte (N.T.).
3. *The Power of Your Subconscious Mind*, traduit en français par Dr Mary Sterling.

débarrasser votre esprit, non pas par des paroles de négation, mais en déclarant avec foi que votre ami est dès à présent dans l'état auquel il aspire, possédant ce qu'il désire. Autrement dit, vous le représentez dans votre esprit tel qu'il devrait être, sachant que l'action de Dieu s'accomplit dans sa vie.

De cette façon vous lui pardonnez. Vous changez le concept que vous avez de lui. L'oubli complet est pardon. Si vous n'oubliez pas sa maladie, ou son problème, vous n'avez pas pardonné. Vous pardonnez quand vous oubliez. Si vous voyez quelqu'un, ou pensez à lui, en vous souvenant de ce que vous aviez contre lui, vous n'avez pas du tout pardonné. Le pardon c'est l'oubli de l'erreur.

Vous ne pouvez rien donner à Dieu

L'idée de « sacrifice » est basée sur celle d'abandonner quelque chose à Dieu (votre Moi Supérieur). Dieu est tout ce qui est, en tout et au-dessus de tout, à travers tout et tout en tout. Pourquoi l'homme sacrifierait-il des agneaux, des bœufs, des colombes, etc., comme si Dieu était un moloch cannibale qu'il faut apaiser ? Pourtant, certains essaient de marchander avec Dieu, disant : *« Si Dieu guérit mon fils, je ne boirai plus. »*

Cela est absurde. Dieu est la Présence et Puissance Impersonnelle qui anime toutes choses et qui ne respecte pas les personnes. Cette idée de sacrifice est un rappel des temps où les peuples primitifs tentaient d'apaiser Dieu en sacrifiant des animaux et même des enfants.

Vous ne pouvez rien donner à Dieu (JE SUIS, en vous) si ce n'est Le reconnaître, Le louer et Lui rendre grâce. Ce que vous devez sacrifier, ce sont vos fausses croyances, vos craintes, vos doutes et autres concepts négatifs. Lisez le Psaume 100, vous aurez l'approche qui convient à l'Infini. Par exemple, de nombreuses personnes qui veulent être guéries parlent à leur Moi Supérieur, disant : *« Merci, Père, pour ma miraculeuse guérison. »* Elles répètent cela silencieusement jusqu'à bien sentir leur gratitude. A mesure qu'elles continuent, elles s'élèvent au point de l'acceptation, et leur subconscient répond à leur croyance. Chaque homme répond à sa propre prière.

La forme ou l'esprit ?

Il y a une grande différence entre celui qui vit par la grâce et celui qui s'en tient à la forme. C'est la conscience de l'amour qui guérit et qui restaure l'âme. Il n'y a pas beaucoup de praticiens qui travaillent comme travaillait Phineas Quimby en 1847 ; il acceptait sans hésitation le défi de toutes sortes de maladies.

Il savait arrêter ce que ses patients tremblants redoutaient. Il bannissait de l'esprit des gens l'idée d'un Dieu qui punit, et il percevait par clairvoyance la cause de leurs maladies. Il opérait depuis un haut niveau de conscience de Dieu. Il infusait une ferveur électronique de grâce, de foi et de courage à ses patients qui en obtenaient bénédictions, guérisons et bien d'autres dons de l'Esprit. Qu'il s'agisse de guérir médicalement, psychologiquement ou spirituellement, il faut toujours aller au plus haut.

Les deux savants

Un de nos savants de laboratoire a dit que la science n'a pas besoin de Dieu, puisqu'il est lui-même capable de réduire l'homme à une masse d'éléments chimiques et d'eau, valant à peu près un dollar cinquante cents sur le marché aujourd'hui, et de les mettre dans un grand tube à essai. Mais un chimiste chinois rétorqua que seul Dieu pourrait sortir l'homme du tube à essai et le reconstituer. Ce qui n'est point une mauvaise réponse.

Quel vêtement portez-vous ?

Le Psaume 100 nous enjoint : « **Servez l'Eternel avec joie, venez avec allégresse en sa présence !... entrez dans ses portes avec des cantiques de louange, rendez-lui grâce, bénissez son nom** » (Psaume 100 : 2,4).

Le vêtement que vous portez quand vous priez doit être celui de la confiance, de la louange et de l'action de grâce. Voilà le vêtement convenable. Il faut que vous soyez réceptif, que votre esprit soit ouvert, prêt à recevoir toutes les bénédictions qui vous ont été données depuis la fondation du temps. *« Toutes choses sont prêtes pour l'esprit qui est prêt. »*

Tous les soirs de votre vie, lorsque vous vous endormez, vous allez vers le Roi des Rois, l'Esprit Tout-Puissant, la Présence-Dieu en vous-même. Si vous vous rendez devant un roi humain en tant que serviteur, vous en recevrez les devoirs, ceux d'un serviteur, d'un esclave ; si vous vous présentez avec les étoiles d'un général devant le roi d'un pays, vous serez traité comme tel.

Si vous devez vous présenter devant un personnage d'importance, vous allez sans doute revêtir vos plus beaux habits. Si vous êtes devant un personnage sans importance, vous ne vous soucierez pas beaucoup de votre mise ; il en va tout autrement si vous devez vous présenter devant le Président des Etats-Unis.

Or vous rendez visite au Roi des Rois, spirituellement parlant, chaque soir en vous endormant. Portez donc le vêtement de l'amour, de la paix, de la bonne volonté et de l'attente du meilleur. Vous portez le vêtement de la foi par le fait que la nature de l'Intelligence Infinie répond quand vous lui faites appel. Ne vous endormez jamais en portant un vêtement de dépression, de colère, de ressentiment ou de condamnation de vous-même ; un vêtement plein de trous, de taches, aux bords frangés. Puisque le subconscient magnifie tout ce que vous lui déposez, vous vous prépareriez un accroissement de misère.

Nettoyez votre esprit avant de dormir. Pardonnez-vous vous-même et pardonnez à tous, et allez à Dieu avec un chant de louange dans votre cœur. Dieu déversera sur vous une bénédiction si grande que vous n'aurez pas assez de place pour la recevoir. Votre dernier concept, au moment où vous vous endormez, se grave sur votre subconscient, le livre de la vie qui enregistre tout ce que vous sentez et croyez.

Dieu est amour absolu et Il accorde tout ce que vous déclarez et sentez comme étant vrai. Dieu est impersonnel. **« Car l'Eternel est bon ; sa miséricorde est à jamais et sa vérité est pour toutes les générations »** (Psaume 100 : 5).

11

Toute réponse
est en vous

Une femme me dit qu'elle voulait maigrir. Elle faisait comme les autres qui suivent un régime, sans en obtenir de résultat. En même temps, elle réprimait dans son subconscient son désir pour les crèmes glacées et les pâtisseries ; son poids augmentait.

Je lui fis remarquer qu'il ne sert à rien d'imiter les autres, et que tout ce qu'elle avait à faire était de décider du poids qu'elle désirait peser (tel que, par exemple, 63 kilos) et puis de déclarer : « *Je pèse 63 kilos dans l'Ordre et par la Loi divine* », répétant cette déclaration bien des fois par jour et, particulièrement, au moment de s'endormir. Je lui expliquai qu'en continuant ainsi, l'idée de 63 kilos s'imprimerait dans son subconscient ce qui, automatiquement, lui ferait perdre tout désir pour les éléments qui contribuaient à son adiposité.

Elle établit une habitude constructrice

Bien des fois par jour, tout en vaquant à ses occupations ménagères, cette femme se mit à chanter : « *Je pèse 63 kilos dans l'Ordre et par la Loi divine. C'est merveilleux !* » Elle répéta ce choix conscient à maintes et maintes reprises ; cela devint une habitude qui pénétra son subconscient. Elle avait compris qu'en répétant une pensée en en ressentant la joie, dans l'émerveillement, cette pensée se fixerait dans sa subconscience et deviendrait une loi.

Au bout d'une ou deux semaines, elle perdit tout désir pour les aliments amylacés qui étaient cause de son obésité. Lorsqu'elle disait : « *C'est merveilleux !* » cela signifiait pour elle que Dieu accomplissait des merveilles dans sa vie « ... **On l'appellera merveilleux...** » (Esaïe 9 : 6).

La chose qu'il redoutait tant

Job dit « ... **Ce que je crains, c'est ce qui m'arrive...** » (Job 3 : 25). Il y a quelque temps, je m'entretenais avec un homme qui venait de commencer à apprendre les lois de la vie. Il me dit que pendant trois ans il avait eu la peur constante que son magasin soit attaqué par des voleurs ; c'est ce qui arriva. Il me dit que s'il avait connu les lois de la pensée créatrice, il aurait renversé cette pensée pour qu'elle soit constructrice ; il avait compris qu'il s'agit de la puissance qui mène le monde et qu'il s'en était servi dans l'erreur. Cet homme a compris qu'il s'est attiré ce vol. Il sait à présent que rien n'entre dans notre vie qui n'ait son équivalence dans notre subconscience. Autrement dit, ce qui vous arrive est la somme totale de ce que vous pensez, sentez, croyez ; ce à quoi vous donnez consentement mental. Nous ne pouvons pas faire l'expérience de ce qui n'est pas dans notre conscience.

Cet homme a maintenant pris l'habitude de lire, de méditer et de déclarer les vérités que contient le Psaume 91 ; il en sature sa subconscience plusieurs fois par jour. Ces vérités éternelles vont le pénétrer et devenir effectives dans sa vie. Son esprit est à présent en paix, sa peur anormale s'est évanouie.

Le semblable attire le semblable

Ce que vous sentez profondément dans votre cœur va s'exprimer sur l'écran de l'espace. La grande vérité est que tel un homme pense en son cœur (c'est-à-dire émotionnellement et subconsciemment) c'est ainsi qu'il agit, c'est ce dont il fait l'expérience.

Un détective qui suit mes conférences à Laguna Hills, m'a

parlé d'une femme qui a créé son malheur. Cette femme a été attaquée et violée. Dans son sac à main, le détective a trouvé des coupures de presse relatant des cas de viol vieux de plusieurs années. Elle lui dit qu'elle savait que cela allait lui arriver. Le détective la décrivit comme étant en quête d'un ravisseur. Il a raison ; ce que nous plantons dans notre subconscient, que ce soit bon ou mauvais, nous en faisons, tôt ou tard, l'expérience.

Pourquoi il échoua

Pendant une consultation avec un jeune homme d'affaires, j'appris qu'il travaillait dur, qu'il était droit, et qu'il avait une attitude progressive ; cependant, il avait souffert d'échecs répétés. Je m'aperçus qu'il avait le sentiment d'être incapable de réussir, que le destin lui était contraire.

Je lui expliquai qu'au contraire il était né pour réussir, destiné au succès, parce que la Présence-Puissance Infinie en lui est Omnipotente, par conséquent, toutes Ses entreprises, qu'il s'agisse de créer de nouvelles étoiles ou un arbre, sont parfaites. Cet homme comprit qu'il s'était imposé une loi en suggérant sans cesse l'échec à sa subconscience, qui répondait ensuite à sa foi dans l'échec.

Il sait à présent que tout ce qu'il croit, son subconscient va le manifester. Il s'est donc créé une nouvelle loi en commençant à réitérer l'idée de succès et de richesse ; il a compris que par la constante répétition de ces deux idées, en vivant ce rôle dans son esprit, et imaginant sa femme le félicitant de sa réussite et de son abondance, ces deux idées vont se fixer dans sa subconscience. La loi du subconscient est contraignante, il sera donc contraint de réussir et de devenir riche.

En un mois toute sa vie s'est transformée par la nouvelle et bonne habitude établie dans sa subconscience. La prière est une bonne habitude ; l'échec une mauvaise habitude. Cet homme a découvert que son image-pensée et son sentiment nouveau ont transformé sa vie. Il prend grand soin, tandis qu'il programme à nouveau son subconscient, de ne pas nier entre-temps ce qu'il vient d'affirmer.

Le pouvoir de choisir

Le Bible dit : « **...Choisis aujourd'hui qui tu serviras...** » (Josué 24 : 15). En conversant avec un officier d'un Troisième Bureau étranger, en Inde, il me parla des dangers auxquels il était exposé presque tous les jours. Il me dit qu'en étudiant la *Bhagavad Gita* et les Psaumes de la Bible, il avait découvert qu'il n'y a qu'Une Puissance et qu'Elle est absolument bonne et parfaite.

Il savait que tout ce qu'il avait à faire c'était de s'en remettre complètement à la puissance protectrice de Dieu, l'Unique. Chaque matin et chaque soir il lit à voix haute ces versets du Psaume 27 : « **L'Eternel est ma lumière et mon salut ; de qui aurais-je crainte ? L'Eternel est le soutien de ma vie ; de qui aurais-je peur ?... Car il me protégera dans le secret de son tabernacle au jour du malheur ; il me cachera sous l'abri de sa tente ; il m'élèvera sur un roc** » (Psaume 27 : 1,5).

Il répète à maintes et maintes reprises ces vérités chaque matin avant d'aller à son travail et il se les remémore constamment au cours de la journée, sachant qu'ainsi ces merveilleuses vérités vont pénétrer sa subconscience qui réagit selon les prototypes mentaux qui lui sont imprimés. C'est bien ce qui a lieu, il en a eu des preuves. Un jour, par exemple, un homme voulut tirer sur lui à bout portant, son revolver s'enraya. Une autre fois, un individu jeta une bombe dans sa voiture ; elle n'explosa pas. Sa voix intérieure, à un autre moment, le mit en garde contre un mets empoisonné.

Emerson dit : *« Il y a pour chacun de nous une direction intérieure ; si nous savons écouter avec humilité, nous serons éclairés. »* Il appelle cette voix intérieure celle du « Om », le « JE SUIS », qui, dans notre Bible signifie la Présence de Dieu, le Moi Supérieur, la Superconscience. Tous ces noms signifient la même chose. La Présence Divine loge dans le subconscient de chacun.

Lorsque vous répétez constamment une certaine pensée en en prenant bien conscience, le moment vient où elle devient une réalisation, une conviction subconsciente qui résulte en une réponse automatique pour vous guider, vous diriger, vous pousser vers les verts pâturages et les eaux tranquilles (1).

---

1. Allusion au Psaume 23 (N.T.).

Fausse croyance

Un professeur me dit que la raison pour laquelle sa jambe malade ne guérissait pas était qu'il payait ainsi une dette karmique pour les méfaits qu'il avait commis dans une vie antérieure. Cet homme était proviseur d'une école, c'était donc une personne cultivée.

Je lui expliquai que tout cela n'était qu'absurdités imaginatives et insulte à son intelligence. Je lui conseillai de consulter deux professeurs de psychologie et de leur permettre de le ramener à la même période de temps qui, selon lui, était d'environ 100 ans avant sa naissance. Ces deux hommes ne se connaissaient pas et chacun de leur rapport fut une complète contradiction de l'autre. Dans un de ces rapports il avait été femme dans le Kentucky et avait eu quatre enfants. Selon l'autre, il avait été soldat en France et emprisonné pour l'assassinat de son commandant.

Il est évident que ces deux rapports de sa vie passée immédiate (100 ans avant sa naissance actuelle) n'étaient que dramatisations fictives de son subconscient, purement imaginaires. Le second rapport disait qu'il parlait couramment le français, il est vrai qu'il le connaît. Très intrigué, il alla voir un troisième psychologue qui contredit tout ce qu'avaient affirmé les deux autres. Il demanda à ce troisième homme de lire dans sa vie présente depuis le moment de sa naissance (il est âgé de 55 ans).

Tout est enregistré dans le subconscient ; toutes les expériences, depuis le berceau, sont indélébilement et infailliblement imprimées dans le subconscient universel. Par conséquent, le contenu de son subconscient était accessible, en principe, à ces experts en lecture de l'esprit et de régression dans le temps sous hypnose. En fait, ils furent incapables de révéler les événements de sa vie actuelle.

Ce professeur comprit. Il déclara : « *J'ai été berné* », c'est-à-dire abusé par toutes ces calembredaines. Je l'envoyai consulter un vieil ami à moi, médecin, qui lui dit que sa jambe serait parfaitement guérie par une médication nouvelle qu'il allait lui appliquer. Il en accepta volontiers l'idée.

La jambe affectée était la droite. La jambe droite représente le monde objectif, la gauche, le mouvement. Cet homme reconnut qu'il s'opposait mentalement à une mutation ; il souffrait de rage et de ressentiment réprimés. Ces émotions négatives devaient s'extérioriser ; son subconscient répondit par la jambe malade.

Il décida de se détendre et de laisser Dieu le guider. C'est-à-dire qu'il remit toute cette affaire à la Présence-Puissance Infinie qui nous habite tous, priant ainsi : « *L'Intelligence Infinie guide mon médecin. Je m'abandonne à Elle et je suis divinement dirigé. Je suis toujours à ma vraie place, faisant ce que j'aime faire, divinement heureux, divinement prospère. Dieu au centre de mon être me guérit et je rends grâce pour cette guérison miraculeuse qui s'accomplit maintenant.* »

Tout cela s'est en effet produit. Sa décision de s'en remettre à Dieu est l'attitude qui conduit aux grandes réalisations.

Elle entendait des voix

Une femme, qui s'était servie de la planche Ouija, vint me voir et me montra quelques messages obtenus par le Ouija dont certains étaient beaux, remplis de citations bibliques. Mais elle me dit que, depuis quelques semaines, une voix intérieure la poursuivait chaque soir hurlant des obscénités, lui ordonnant de se suicider ou de s'enivrer.

En se servant de la planche Ouija, cette femme avait eu constamment peur qu'une entité mauvaise ne se manifeste et, comme le dit Job « **...Ce que j'ai grandement redouté m'arrive...** » (Job 3 : 25). Autrement dit, son subconscient réagissait sur sa peur constante et répondait de façon négative.

Je lui donnai une prière spéciale, celle que j'ai recommandée depuis des années à de nombreuses personnes qui se croyaient poursuivies par des entités mauvaises. L'amour bannit la crainte. La réalisation constante de la Présence de Dieu en soi, soutient, guide, dirige et dissout, élimine toutes conditions négatives.

Voici cette prière que je lui prescrivis, lui disant de la répéter à haute voix pendant environ dix minutes le matin, à midi, et avant de s'endormir le soir, en étant bien consciente de ce que, en réitérant constamment ces vérités à son subconscient, toute crainte, tout concept négatif en serait effacé. Ma consultante acquiesça, affirma régulièrement, systématiquement, ces vérités avec ferveur tant et si bien qu'elles devinrent partie de sa mentalité.

La prière spéciale

« Dieu m'aime et Il a soin de moi. Son amour remplit ma conscience et ma subconscience. Je sais qu'en affirmant ces vérités je vais enlever de mon esprit toutes influences négatives. Je les affirme hardiment, et ce que je décrète s'accomplit. Dieu vit en moi. Dieu parle à travers moi. Dieu marche près de moi. Ma vie est la Vie de Dieu et Sa paix remplit mon esprit et mon cœur. Son amour guérit et sature tout mon être. Sa sagesse, Sa vérité et Sa beauté me gouvernent. Je suis bien portante, heureuse, en paix, et la joie de Dieu est ma force. »

« La où est Dieu il n'y a point de mal. Je puis tout par Sa Puissance qui me fortifie. Je sais que tout ce à quoi je dis « JE SUIS » je le deviens. Je suis entourée par le cercle sacré de l'amour de Dieu, toute l'armure de Dieu me protège. Sa lumière brille dans mon esprit. J'entends la vérité, je sais la vérité ; j'entends la douce voix tranquille de Dieu me dire : « la Paix, sois tranquille ». »

A la suite de cette méditation elle commandait hardiment et définitivement à toute inquiétude : *« Je décrète que vous sortiez de mon esprit. Sortez. Il n'y a ici que Dieu et Son amour. Je suis libre. Merci, Père. »*

Au bout d'une ou deux semaines de cette technique de la prière, cette femme se sentit parfaitement libérée. Elle a cessé de pratiquer la planche Ouija. Elle sait que ce qui l'effrayait n'était autre que son subconscient, lui renvoyant ses propres appréhensions, c'est-à-dire qu'elle se parlait à elle-même.

Né à nouveau

De nombreuses personnes me demandent la signification de ces mots. Presque tous les jours nous lisons dans les journaux que quelqu'un se déclare né de nouveau. Ce dont nous parlons n'a rien de commun avec une naissance physique. Pour la renaissance véritable, il faut que l'homme prenne conscience des puissances spirituelles qui sont en lui et qu'il ait le sentiment de son union avec l'Infini. En d'autres termes, lorsque l'Amour divin et la Paix divine remplissent son âme, et lorsqu'il commence à penser, à parler et à agir depuis le Centre Divin de son être, c'est alors que s'accomplit ce que l'on appelle une renaissance spirituelle et que l'homme est complètement libéré de la peur, de l'ignorance, de la superstition et des fausses croyances du monde.

Cet homme-là n'appartient à aucune confession particulière, à aucun credo sectaire, car il sait intuitivement que Dieu ne respecte pas les personnes et que l'on ne peut pas mettre une étiquette sur l'amour, la paix, l'harmonie, la joie, la bonne volonté, l'inspiration ou l'action juste.

La renaissance peut avoir lieu dans le présent

La renaissance est une expérience individuelle « ...**Si un homme ne naît pas d'eau et d'Esprit, il ne peut entrer dans le royaume de Dieu** » (Jean 3 : 5). L'eau c'est votre esprit qui, comme elle, prend la forme du vase dans lequel il est versé. Remplissez donc votre esprit constamment des vérités de Dieu, et tandis que vous saturez votre subconscience de ces vérités essentielles, toute votre vie se transformera à l'image et à la ressemblance de votre contemplation.

« Toutes choses sont prêtes si l'esprit est prêt » (Shakespeare). Ouvrez votre cœur à l'influx de l'Esprit Saint et soyez renouvelé et illuminé d'En haut.

Il dit : « avec le temps tout renaîtra »

Un jeune prêtre de mes amis nourrissait l'illusion qu'avec le temps tous les hommes renaîtraient spirituellement. Je le renvoyai au troisième chapitre de l'Ecclésiaste :
« Il y a un temps pour tout, un temps pour toutes choses sous les cieux ;

« Un temps pour naître, et un temps pour mourir ; un temps pour planter, et un temps pour arracher ce qui a été planté ;

« Un temps pour tuer, et un temps pour guérir ; un temps pour abattre et un temps pour bâtir ;

« Un temps pour pleurer, et un temps pour rire ; un temps pour se lamenter, et un temps pour danser ;

« Un temps pour lancer des pierres, et un temps pour ramasser des pierres ; un temps pour embrasser, et un temps pour s'éloigner des embrassements ;

« Un temps pour chercher, et un temps pour perdre ; un temps pour garder et un temps pour jeter ;

« Un temps pour déchirer, et un temps pour coudre ; un temps pour se taire, et un temps pour parler ;

« Un temps pour aimer, et un temps pour haïr ; un temps pour la guerre, et un temps pour la paix ;

« Quel avantage celui qui travaille retire-t-il de sa peine ?

« J'ai vu à quelle occupation Dieu soumet les fils des hommes.

« Il fait toute chose belle en son temps ; même il a mis dans leur cœur la pensée de l'éternité, bien que l'homme ne puisse pas saisir l'œuvre que Dieu fait, du commencement jusqu'à la fin.

« J'ai reconnu qu'il n'y a de bonheur pour eux qu'à se réjouir et à faire le bien dans sa vie.

« Et aussi que tout homme devrait manger et boire et jouir des fruits de son labeur, cela est le don de Dieu.

« Je sais que tout ce que Dieu fait durera toujours ; qu'il n'y a rien à y ajouter et rien à en retrancher, et que Dieu agit ainsi afin qu'on le craigne.

« Ce qui est a déjà été, et ce qui sera a déjà été, et Dieu ramène ce qui est passé. » (Ecclésiaste 3 : 1-15).

Il est insensé de croire qu'avec le temps les gens deviendront semblables à Dieu, saints. Cela est une illusion. Rien ne va mal dans le monde ni dans les galaxies de l'espace. Tout est maîtrisé par une Intelligence Suprême qui agit mathématiquement, en ordre parfait et avec une précision infinie. On a dit que l'ordre est la première loi du ciel.

Ce sont les gens de la terre qui doivent changer, et cela est un processus individuel. Nul ne peut, d'un coup de baguette magique, convertir les hommes à pratiquer la bonté, la vérité et la beauté. Tous autant que nous sommes dans ce monde à trois dimensions, nous nous mouvons dans des contraires : le jour et la nuit, le flux et le reflux, le doux et l'amer, la santé et la maladie, la foi et la peur, le bien et le mal. Il nous faut apprendre à réconcilier les opposés et ainsi à faire l'expérience de la paix qui surpasse tout entendement humain.

Notre vie est semblable à un pendule ; une sorte d'alternance rythmique entre deux opposés. Nous allons de la guerre à la paix, et puis nous revenons à la guerre. Tout cela parce que l'homme est ce qu'il est. Quand la mort de la rapacité, de l'égoïsme, de la malignité, de la haine, de l'envie et de la jalousie s'effectuera dans l'homme, alors, bien sûr, il n'y aura plus de guerre, de maladie ni de crime.

Cela ne se produira pas collectivement ; cela a lieu en chaque homme lorsqu'il apprend à pratiquer la Présence de Dieu dans ses pensées, dans ses paroles et dans ses actes. Chaque homme crée sa propre utopie. Aucun gouvernement ne peut garantir la paix, le bonheur, la santé ni la prospérité. Il y a d'innombrables personnes qui voyagent à travers le monde et l'auteur de ce livre en a rencontré beaucoup. Un grand nombre connaît les confins de la terre, mais n'a pas encore voyagé en soi-même, où se trouve le Saint des Saints, la Présence de Dieu.

Lorsque vous voyagez spirituellement, vous gravissez la Colline de Dieu en vous-même et vous contemplez Ses grandes vérités. Vous vous appropriez de plus en plus la Divinité par la méditation, la prière et la contemplation. Dans la Divine Présence qui est en vous il n'y a ni temps ni espace, et votre éveil spirituel n'a point de rapport avec le mouvement de la terre autour du soleil.

Celui qui est hors du Temps, de l'Espace et des Années est en vous. Vous pouvez être transformé en un clin d'œil. « **Ce qui est a déjà été, et ce qui sera a déjà été...** » (Ecclésiaste 3 : 15).

L'Histoire se répète, et ce qui a été sera de nouveau. Ce cycle des changements ne change point l'Amérique, ni l'univers, mais son dessein, son but est de changer l'homme de sorte qu'il devienne un homme nouveau, un homme heureux, joyeux, un homme qui reconnaît Dieu pour Père et tous les hommes comme étant ses frères.

L'univers est maîtrisé par Dieu. L'homme est le particulier, et pour agir à travers le particulier il faut que Dieu le devienne.

Cela signifie tout simplement que vous êtes une individualisation de Dieu. Dieu ne peut agir à travers vous qu'à travers vos pensées et vos images mentales.

Dans le 11ᵉ verset de ce chapitre, l'auteur inspiré dit : « **Il fait toute chose belle en son temps ; même il a mis dans leur cœur la pensée de l'éternité...** » Le monde que vous voyez est le monde que vous êtes. Vous voyez à travers le contenu de votre mentalité. La beauté est dans l'œil du voyant, et chacun voit un monde différent. Si vos yeux sont identifiés à ce qui est beau et de bon aloi, vous ne verrez que ce qui est beau. *« Ce que tu vois, homme, tu dois le devenir ; Dieu si tu vois Dieu, poussière si tu vois la poussière. »*

L'occupation dont parle le verset 10 se réfère aux problèmes, aux défis, aux épreuves et aux difficultés diverses que nous rencontrons et qui nous permettent de grandir en les surmontant. La grande joie c'est de surmonter les problèmes en découvrant la Puissance qui est en nous.

Cessez d'essayer de changer le monde. Nul n'est à changer si ce n'est vous. La nature humaine n'a pas beaucoup changé à travers les siècles, les deux grandes guerres récentes le prouvent. En fait, depuis que je suis né, il y a toujours eu la guerre quelque part. Vous n'avez point de baguette magique pour bannir d'un coup la maladie dont l'origine est dans l'esprit de l'homme. Pas plus que vous ne pouvez empêcher la guerre, les conflits humains.

La terre est une école, nous sommes ici pour apprendre à grandir, à découvrir la Divinité qui façonne nos devenirs. La souffrance du monde, comme l'a dit Bouddha, est due à l'ignorance. Il est noble, il est divin de désirer soulager la souffrance et la maladie, mais vous ne devez point contempler le crime, la tragédie, la souffrance du monde au point d'en être déprimé. Ce serait polluer davantage l'entendement de la masse. Contemplez la paix, l'harmonie, l'action juste et l'illumination pour vous-même et pour toute l'humanité. Vous lui serez ainsi une bénédiction.

Prenez dès à présent votre bien. Prenez dès à présent votre bonheur. Prenez dès à présent l'amour et la joie. Ne remettez pas à plus tard votre bien. Il est insensé de dire que vous serez heureux, joyeux et libre quand les guerres cesseront et lorsque tous les peuples renaîtront en Dieu ; vous attendriez longtemps ! Lorsque vous vivez dans la conscience de la paix, de l'harmonie et de la joie de Dieu, vous êtes une bénédiction pour tous les hommes de la terre parce qu'alors vous répandez sur le monde entier le soleil de Son amour.

Nous avions, avec nous, dans ce tour du monde, une femme qui était exagérément sensible. Les mendiants s'agglutinaient autour d'elle, certains cherchaient à s'emparer de son sac. Elle dit : *« Je ne peux pas manger ce soir à la pensé de tous ces pauvres gens qui ont faim. »* Un membre de notre groupe lui parla assez durement ; il lui dit que, ce qu'elle avait de mieux à faire, c'était d'aller se coucher dans la rue avec les mendiants pour souffrir avec eux. Elle comprit. Cela n'aide pas le mendiant affamé si on lui dit : *« Je souffre tant pour vous que j'ai décidé de mourir de faim avec vous. »* Cette femme était dans l'impossibilité de nourrir tous les mendiants qui l'assiégeaient ; pas plus qu'elle n'avait assez d'argent pour les vêtir.

Quand vous allez voir un ami malade à l'hôpital, vous ne lui dites pas : *« Je suis si malheureux de vous voir dans cet état que j'ai décidé de rester ici pour souffrir avec vous. »* Ce dont votre ami souffrant a besoin, c'est d'une transfusion spirituelle de foi, de confiance, d'amour, de bonne volonté. Vous l'aiderez bien mieux en lui remettant en mémoire la puissance guérissante de Dieu et les miracles de guérison qui se produisent partout. Voilà la compassion véritable.

L'Evangile selon Matthieu dit : **« Vous laissez ce qui est le plus important dans la loi... »** Donner de la nourriture à celui qui a faim est bon, mais insuffisant. Il aura faim de nouveau. Enseignez-lui à tirer de sa subconscience les richesses célestes. Apprenez-lui que Dieu subviendra à tous ses besoins, qu'Il répondra à son appel. C'est alors que vous lui aurez donné la perle de grand prix, et il ne sera jamais plus dans le besoin.

Souvenez-vous de cette grande vérité : **« ...Tout homme devrait manger et boire et jouir des fruits de son labeur ; cela est le don de Dieu »** (Ecclésiaste 3 : 13).

12

Le chemin de la paix profonde

« L'Eternel est mon berger ; je ne manquerai de rien. »

« Il me fait reposer dans de verts pâturages ; il me conduit au bord des eaux tranquilles. »

« Il restaure mon âme ; il me conduit dans les chemins de la droiture à cause de son nom. »

« Quand bien même je marcherais dans la vallée de l'ombre de la mort, je ne craindrais aucun mal ; car tu es avec moi, ton bâton et ta houlette me rassurent. »

« Tu dresses devant moi une table à la face de mes ennemis ; tu oins d'huile ma tête et ma coupe déborde. »

« Oui, le bonheur et la grâce me suivront tous les jours de ma vie, et j'habiterai la maison de l'Eternel à jamais » (Psaume 23 : 1-6).

Bien des personnes méditent les grandes vérités de ce Psaume et en tirent de merveilleux résultats. Tandis que vous fixez votre attention sur elles, les absorbant, vous méditez sur le sens véritable de la parole, parce que vous vous appropriez davantage votre Divinité, la Présence-Dieu qui habite votre Moi profond.

« L'éternel est mon berger. » L'Eternel c'est Dieu, l'Esprit Vivant qui est en vous. **« Je ne manquerai de rien. »** Cela signifie que vous ne manquerez jamais de l'évidence du fait que vous avez choisi Dieu pour berger.

Un berger prend soin de ses brebis. Il les aime, il les soigne. Il examine les champs où elles paissent, il en enlève les mauvaises herbes. Il les conduit à l'ombre, au-dessus des précipices, vers l'eau qui les rafraîchit. Le soir, il examine leurs narines pour voir si des aiguilles de pins ou d'autres irritants n'y sont pas implantés. Dans ce cas, il les retire et verse de l'huile sur leurs plaies. Il examine aussi leurs pieds et, s'ils sont blessés, les soigne attentivement.

Le berger aime ses brebis. Il les appelle par leur nom et elles le suivent. Tout cela est symbolique, bien entendu, mais très significatif ; cela nous indique à tous que si nous choisissions Dieu pour berger, nous ne manquerions d'aucune bonne chose.

« En vérité, en vérité, je vous le dis, celui qui n'entre pas par la porte de la bergerie, mais qui y monte par ailleurs, est un voleur et un brigand » (Jean 10 : 1).

Avant d'obtenir la réponse à notre prière, il faut d'abord posséder notre désir dans notre conscience. Notre conscience représente la somme totale de nos acceptations et de nos croyances, conscientes et subconscientes. Notre état de conscience c'est la façon dont nous sentons, pensons et croyons ; c'est ce à quoi nous donnons notre consentement mental.

Autrement dit, il faut que notre désir soit déposé dans notre subconscience. *« Il faut que je sois* « avant » *Je peux avoir.* » Les Anciens disaient : *« Etre c'est avoir. »* Si j'essaie d'obtenir ce que je veux par les moyens extérieurs, je suis un voleur et un brigand. Mon état de conscience est la porte de toute expression. Il faut que je possède l'équivalence mentale de ce que je veux être ou posséder.

Prenons une illustration simple : une personne veut guérir, elle affirme à maintes reprises *« Je suis guérie ».* Ces déclarations mécaniques ne suffisent pas. Il faut que cette personne entre dans la joie et la réalisation de sa guérison. Il faut qu'il y ait une conviction basée sur la certitude silencieuse de l'âme. Pour être riche, il faut assumer le sentiment de l'être ; la richesse suivra.

Les brebis symbolisent les idées nobles, dignes, divines qui nous sont une bénédiction. Notre conviction du bien est le berger qui veille sur ses brebis, car notre état d'esprit dominant règne toujours, tout comme un général commande son armée. Nous appelons nos brebis par leurs noms quand nous entrons dans la conscience d'être, d'avoir ou de faire ce à quoi nous aspirons. Si nous maintenons ces états d'esprit, ils se cristallisent en nous et ces incarnations subjectives deviennent des manifestations objectifiées.

« Elles ne suivront point un étranger, mais elles fuiront loin de lui ; parce qu'elles ne connaissent pas la voix des étrangers » (Jean 10 : 5).

La méditation a pour but la direction de votre esprit sur les chemins de Dieu afin que Sa loi et Son ordre gouvernent toutes vos activités et toutes les phases de votre vie.

Shakespeare dit : *« Toutes choses sont prêtes si l'esprit est prêt. »* Et la Bible : « **...les œuvres furent achevées dès la fondation du monde** » (Hébreux 4 : 3). Tout cela veut dire que nous devons ouvrir notre esprit et notre cœur, et accepter les dons que Dieu nous offre depuis la fondation des temps. Il faut que nous mettions de l'ordre dans notre esprit et que nous nous posions une question simple : qu'en est-il en Dieu et au Ciel ? La réponse est : tout y est béatitude, harmonie, joie, amour, paix, perfection, intégrité et indescriptible beauté.

Celui qui Est Toute Sagesse, Toute-Puissance, et Toute Connaissance est en nous. Quoi que ce soit que nous cherchions, cela est déjà ; l'amour, la paix, la joie, l'harmonie, et la réponse à tout problème sont aussi en nous, en ce moment même. Dieu ne connaît que la réponse.

Comment recevoir des directives

Si vous cherchez des directives, affirmez : *« L'Intelligence Infinie connaît la réponse dont j'ai besoin avant que je ne la Lui demande. En faisant appel à la Sagesse Suprême, je sais que Sa nature est de me répondre et que je reconnaîtrai clairement cette réponse qui se présentera à mon esprit conscient ; je la reconnaîtrai instantanément. »*

Cela dit, n'y pensez plus, sachant que vous avez remis votre requête à l'Intelligence Infinie dans votre subconscient et qu'inévitablement la réponse viendra. Vous savez que vous avez véritablement remis votre requête lorsque votre esprit est en paix, et vous ne niez pas ce que vous avez affirmé et décrété.

Il me fait reposer dans de verts pâturages

J'écris ce chapitre à Laguna Hills, Californie. Une lettre est arrivée hier d'une femme à Hawaii me disant qu'elle a médité sur ces paroles : « **Il me fait reposer dans de verts pâturages** », pendant environ une demi-heure trois fois par jour pendant une semaine. Fixant son attention sur cette promesse de ce Psaume, elle se mit à la considérer sous toutes sortes d'angles, recherchant sa signification et comment cette promesse la concernait.

Elle me dit que sa méditation la fit penser à la paix de l'esprit, au contentement, à la quiétude, à l'abondance et à la sécurité. La vision d'une vache ruminant dans un pré lui vint à l'idée, symbole du processus méditatif de son esprit. En ruminant, l'animal absorbe, digère et transforme tout ce qu'il mange en lait, en tissu, en sang, en os, en muscle, etc. De même, cette femme digérait, ingérait, absorbait les vérités jusqu'à ce qu'elles fassent partie d'elle-même.

Ses finances allaient mal. Elle craignait de perdre sa belle demeure. La mine dans laquelle elle avait placé une grande part de sa fortune s'était soudain effondrée. Son fils était introuvable. Elle n'en persista pas moins dans sa méditation. A la fin de la semaine, un notaire l'avisa qu'un parent éloigné lui avait légué une forte somme d'argent, des titres et des actions. Ses difficultés pécuniaires furent résolues. Son fils revint à la maison ; il avait fait une fugue au Canada, pensant y trouver de plus verts pâturages ; il revint plus sage et en paix.

Cette dame s'était appropriée mentalement les grandes vérités qui étaient devenues partie d'elle-même, tout comme la nourriture que nous absorbons devient une partie de notre corps. Elle avait rempli son esprit d'un certain passage du Psaume dont nous parlons, médité sa signification profonde et sa puissance guérissante. Elle avait décidé de se fier entièrement à ces vérités afin que l'harmonie prévale dans sa vie.

Il me conduit au bord des eaux tranquilles

Le berger de la Bible est un symbole de la direction, de la guérison, de la puissance protectrice de la Présence-Dieu qui est en nous. Vous êtes un bon berger lorsque vous savez et croyez que Dieu est la Seule Présence, Puissance, Cause et Substance. Lorsque cette conviction se sera établie dans votre esprit, vous serez divinement dirigé et béni d'innombrables façons.

Les eaux tranquilles représentent l'esprit rempli de paix, d'équilibre, de sérénité et d'équanimité. Vous contemplez alors la puissance, la sagesse et l'amour de l'Infini. Ce faisant, vous vous trouvez, immergé dans la Sainte Omniprésence, baigné par les eaux de la paix, de la joie, de l'intégrité et de la vitalité. Lorsque votre esprit est en paix, la réponse dont vous avez besoin vous vient. La paix est la puissance au cœur de Dieu.

« ... **l'affection de l'esprit c'est la vie et la paix** » (Romains 8 : 6).

Il restaure mon âme

Quand vous choisissez Dieu pour berger, vous chantez le chant de triomphe ; comme le dit Emerson, votre attitude mentale est *« le soliloque de l'âme aimante et éclairée »*. Vous reconnaissez l'Esprit Infini en vous-même, et vous savez que lorsque vous lui faites appel, il répond. Vous reconnaissez sa puissance comme étant Unique et Indivisible. Et ce faisant, vous rejetez toutes les peurs et toutes les fausses croyances du monde.

Quelles que soient les craintes, les frustrations, les fausses croyances qui furent imprimées dans votre subconscience, elles sont à présent oblitérées, effacées, parce que vous déclarez et maintenez hardiment que l'océan Infini de vie, de vérité, d'amour et de beauté la sature, purifiant, guérissant et transformant tout votre être selon les prototypes divins d'harmonie, d'intégrité et de paix. Lorsque vous reconnaissez la suprématie de l'Unique Puissance de Guérison et la puissance créatrice de votre pensée qui en dérive, vous avez l'Eternel, Dieu pour berger et vous restaurez votre âme.

« **Tu le garderas dans la paix parfaite celui dont l'esprit demeure en toi : parce qu'il te fait confiance** » (Esaïe 26 : 3).

Il me conduit dans les chemins de la droiture à cause de son nom

Recueillez-vous, fermez vos yeux, détendez-vous, soyez tranquille et affirmez doucement que la sagesse de Dieu oint votre intellect et qu'elle est toujours une lampe pour vos pieds et une lumière sur votre sentier (1). Déclarez que l'Amour divin va devant vous pour rendre droit, heureux, joyeux et prospère votre chemin. Regardez à tout moment vers la Présence-Dieu et pensez, parlez, agissez et réagissez depuis le Centre Divin de votre être.

Comprenez bien, sentez et déclarez que Dieu est votre guide, votre conseil, votre associé principal et que l'action divine vous gouverne en tout temps. Affirmez hardiment : « *Dorénavant, je pense juste parce que je pense dans le sens des vérités et des principes éternels de la vie ; tout ce que je fais s'accorde au Principe éternel de loi et d'ordre — première loi Céleste. Dieu est en moi l'Eternel, le Tout-Puissant, l'Intelligence Infinie, Omniprésence, Omniscience et Amour Illimité. Je sais à présent que Dieu et Son amour saturent tout mon être et que tout ce que je fais prospérera.* »

OUI, MEME SI JE MARCHE DANS LA VALLEE DE L'OMBRE DE LA MORT, JE NE CRAINS AUCUN MAL ; CAR TU ES AVEC MOI

Où que vous alliez, marchez dans la conscience de la paix, de l'amour et de la bonne volonté envers tous. Supposez que vous alliez voir un ami malade à l'hôpital dans cet état d'esprit. Votre atmosphère mentale, spirituelle, lui sera une bénédiction. Vous lui ferez une transfusion de grâce et d'amour, le nourrissant ainsi de foi, de confiance dans l'Infinie Présence Guérissante. Dieu est Vie, et cette vie est la vôtre.

La Vie-Dieu est éternelle, il n'y a point de mort. La prétendue mort est l'entrée dans la quatrième dimension de la vie, et notre voyage va de gloire en gloire, de sagesse en sagesse, toujours en avant et plus haut, vers Dieu ; car il n'y a point de fin à la gloire qu'est l'homme.

L'*ombre* c'est la non-réalité de la mort. Toute fin est un

---

1. Allusion au Psaume 119 : 105 (N.T.).

commencement ; par conséquent, lorsque vous quitterez cette dimension, ce sera votre nouvelle naissance en Dieu, et vous porterez un corps neuf, un corps de quatrième dimension (que vous portez déjà), raréfié, plus subtil, et qui vous permettra de passer à travers la matière. Vous retrouverez vos bien-aimés, et vous grandirez en sagesse, en vérité et en beauté, là autant qu'ici.

En fait, vous vous y rendez toutes les nuits, lorsque vous vous endormez. Si vous avez peur de la mort, de l'après-vie, du jugement dernier, vous êtes mené par l'ignorance et la tromperie, et non par l'Eternel qui est un Dieu d'amour. « **Car ce n'est pas un esprit de timidité que Dieu nous a donné, mais un esprit de force, d'amour et de sagesse** » (II Timothée 1 : 7). La mort, en langage biblique, c'est l'ignorance des vérités de Dieu.

Ton bâton et ta houlette me rassurent

Le bâton représente la puissance de Dieu, qui vous est instantanément accessible lorsque vous lui faites appel. La houlette symbolise votre autorité et la capacité de vous servir de cette Puissance. Méditer sur l'Omniprésence et l'Omniscience de la Présence Infinie met votre esprit dans un état de quiétude, de passivité.

Pensez à un beau lac paisible de montagne qui reflète les lumières célestes des étoiles, de la lune. De même, lorsque votre esprit est calme et tranquille, vous reflétez les vérités, les célestes lumières de Dieu. L'esprit quiet est celui qui accomplit. Quand votre esprit est tranquille, quiet, réceptif, l'idée divine, la solution de votre problème surgit à sa surface ; cela est la voix intuitive de la Présence-Puissance Infinie. Quand le lac de montagne est troublé, il ne reflète point les lumières du ciel.

Déclarez que Dieu vous guide, et rendez grâce pour la joie de la prière exaucée. Son bâton et Sa houlette vous ont réconforté et vous êtes en paix.

Tu dresses devant moi une table à la face de mes ennemis

« **L'homme a pour ennemis les gens de sa maison** » (Matthieu 10 : 36). Vos ennemis ce sont vos propres pensées, vos craintes, votre condamnation de vous-même, vos doutes, votre colère, votre ressentiment, votre mauvaise volonté. Les vrais ennemis sont dans votre propre esprit. Lorsque des pensées de peur vous viennent, supplantez-les par la foi en Dieu et dans le bien. Lorsque vous avez tendance à vous critiquer, à vous condamner, écartez immédiatement ces pensées en faveur de cette grande vérité : *« J'exalte Dieu au centre de mon être. »*

Une jeune femme avait fait un faux témoignage contre un oncle pour contester un testament qui assurait à celui-ci un important héritage, dans le but d'en obtenir une partie. L'oncle, très en colère, s'en rendait malade. Ayant compris son erreur, il cessa de s'agiter pour se nourrir des vérités de Dieu ; il contempla la paix, l'harmonie et l'action divine ; il y eut une harmonieuse solution.

Un de mes amis intimes, médecin, me dit récemment que la publicité faite autour des deux épouses d'hommes politiques de premier plan qui souffraient du cancer du sein avait déclenché une grande peur ; un grand nombre de femmes venait lui demander de faire les examens nécessaires pour savoir si elles en étaient atteintes. Il ajouta qu'à son avis la lutte contre le cancer, la tuberculose, les maladies cardiaques, etc., par la propagande faite à la télévision, à la radio et dans la presse, fait plus de mal que de bien, parce que ce contre quoi nous luttons mentalement, nous l'aggravons. Il me fit remarquer que la peur constante du cancer de ces femmes allait précisément créer ce qu'elles redoutent. **« Car ce que je crains, c'est ce qui m'arrive... »** (Job 3 : 25).

Avancez dans la conscience de l'amour, de la paix, de l'intégrité, de la perfection de Dieu ; automatiquement, vous vous élèverez au-dessus des fausses croyances, des peurs et de la propagande de l'entendement collectif. Il est une prière en Inde qui est très répandue, que l'on apprend aux enfants dans les familles dont l'orientation est spirituelle : *« Je suis la parfaite santé. Dieu est ma santé. »* Tandis que le jeune enfant se chante cette affirmation bien des fois par jour, cela lui devient une habitude et il se construit ainsi l'immunité à toute maladie.

Comprenez qu'il n'y a rien dans tout l'univers à craindre. Cessez de donner puissance à la chose créée, donnez-la au Créateur. Tout dans l'univers est pour vous et rien n'est contre vous.

Tu oins d'huile ma tête

L'huile est un symbole de lumière, de guérison, de louange et d'action de grâce. Cette affirmation signifie que la Présence Infinie Guérissante agit en votre faveur, que la sagesse de Dieu oint votre intellect. Vous êtes consacré par l'Amour divin. « **Tu as mis la joie dans mon cœur...** » (Psaume 4 : 7) ; « **... Dieu t'a oint de l'huile de joie...** » (Psaume 45 : 7 et Hébreux 1 : 9).

Un des moyens les plus merveilleux pour obtenir la réponse à votre prière, c'est de vous adresser à l'Infini dans le silence de votre âme. En vous endormant, bercez-vous par ces paroles : « *Merci, Père.* » Répétez-le jusqu'à ce que vous sentiez bien la gratitude ; vous remerciez l'Infini pour la réponse dont vous avez besoin. Lorsque votre gratitude pénètre vos profondeurs, les merveilles se manifestent.

Ma coupe déborde

Cette coupe est le symbole de votre cœur, que vous remplissez dans la contemplation des grandes vérités de Dieu. En contemplant la beauté, la gloire, les merveilles de l'Infini, vous créez automatiquement un sentiment d'amour, de paix, de joie qui remplit votre cœur d'extase. Et vous irradiez la vitalité, la cordialité, la bonté, la bonne volonté envers tous.

Votre subconscient agrandit énormément ce que vous lui imprimez. Par conséquent, introspectivement, vous verrez que votre bien est « *pressé, tassé, secoué et débordant* » (2) de la fragrance de Dieu. Vous vous apercevrez que l'amour de Dieu a complètement dissous tout ce qui était négatif dans votre subconscient et que vous êtes aussi libre que le vent.

Oui, le bonheur et la grâce me suivront tous les jours de ma vie

Tandis que vous continuerez à méditer et à absorber ces grandes vérités du 23ᵉ Psaume, vous découvrirez que tout

---

2. Allusion aux Paroles du Maître dans Luc 6 : 38 (N.T.).

concourt à votre bien. L'Amour divin vous précède, votre chemin est heureux et joyeux. L'harmonie, la paix, la joie de l'Eternel coulent dans votre vie et vous constatez que vous exprimez au plus haut point vos talents. Vous découvrez que vous devenez ce que vous contemplez.

Je demeurerai dans la maison de l'Eternel à jamais

Vous êtes le temple du Dieu Vivant. Dieu vous habite, Il marche, Il parle en vous. Vous demeurez dans la maison, qui est votre esprit, lorsque, régulièrement, systématiquement, vous vous rappelez bien des fois par jour que Dieu est votre guide, votre conseil, et que vous êtes constamment inspiré d'En Haut.

Vous savez que Dieu est votre Père, la Source de votre abondance, et vous savez que vous ne manquerez jamais, parce qu'Il vous aime et a soin de vous « **... Le tabernacle de Dieu est avec les hommes ! Il habitera avec eux, et ils seront son peuple et Dieu lui-même sera avec eux...** » (Apocalypse 21 : 3).

Vous êtes à présent enraciné dans la Divine Présence ; vous êtes en Dieu. Il vous donne le repos et la sécurité. Vous êtes détendu, à l'aise, complètement libéré de la peur, car là où vous êtes, Dieu est, et vous demeurez à jamais en Lui. Vous montez le long d'une céleste échelle qui n'a point de fin. Chaque soir de votre vie vous vous endormez avec à jamais sur vos lèvres la louange de Dieu.

13

La maîtrise
de vos pensées

La Bible dit : « **Sois tranquille, et sache que Je suis Dieu...** »
(Psaume 46 : 10). Quel soulagement merveilleux remplit votre
esprit, lorsque vous vous murmurez ces paroles dans le silence de
votre âme ! Quelle libération de toute tension, de toute anxiété
vous vient quand vous méditez sur la sagesse, la vérité et la beauté
de la grande vérité : « **... Tiens-toi tranquille, et contemple le
salut de l'Eternel...** » (II Chroniques 20 : 17) ; « **L'Eternel rendra
parfait tout ce qui me concerne...** » (Psaume 138 : 8).

Lorsque vous saturerez votre esprit de ces vérités, vous aurez
une réponse nette de l'Intelligence Infinie qui vous habite et qui
marche et parle avec vous.

Il dit qu'il avait tout essayé

Un homme qui vit ici, à Laguna Hills, était inquiet depuis
cinq ans au sujet d'un procès compliqué. Il priait chaque soir,
essayant de s'en remettre à Dieu, affirmant : *« Je laisse aller, je
laisse faire Dieu. »* Mais il annulait tous les jours sa prière et son
affirmation en disant : *« A quand la fin, à quand la fin,
Seigneur ? »*

Au cours de notre conversation, il cita une phrase de la
Bible : « **Dans le monde vous aurez des tribulations ; mais ayez
bon courage, j'ai vaincu le monde** » (Jean 16 : 33). Cet homme
s'était imaginé que ce procès était une punition pour lui ; il était

basé sur de faux témoignages, un tissu de mensonges tramé par des parents qui contestaient un testament fait en sa faveur.

Suivant mes conseils, au lieu de se morfondre et de s'agiter toute la journée, il affirma fréquemment : « *Je remets à Dieu cette affaire. Dieu agit, tout est harmonie et paix.* » Il pratiqua une discipline de substitution ; lorsque les pensées négatives lui venaient il les remplaçait immédiatement par ces affirmations. Au bout de quelques jours les pensées négatives firent place à un profond sentiment de paix.

Cet homme cessa de conférer à ses parents le pouvoir de lui nuire, de le priver de son bien ; pouvoir qu'ils n'avaient jamais eu, sinon dans ses pensées. Peu à peu, sa conviction spirituelle grandit ; il comprit que sa propre conscience-d'être est la seule cause de ses expériences et des conditions de sa vie. Par conscience-d'être, il faut entendre la somme totale des acceptations, de croyances du conscient et du subconscient. Comme le dit le docteur Phineas Parker Quimby en 1849 : « *L'homme est l'expression de ses croyances.* »

Tandis que mon consultant persévérait ainsi, son avocat lui apprit que celui de la partie adverse avait conseillé à ses clients de ne pas pousser plus loin leur procédure ; elle était, pensait-il, vouée à l'échec. La prière de mon consultant était exaucée.

Changez vos pensées et maintenez-les changées

Souvenez-vous-en, personne n'est à changer si ce n'est vous-même. Changez votre attitude d'esprit, changez vos points de vue ; cessez d'essayer de changer le monde. L'homme dont nous venons de parler comprit que c'était ses propres pensées au sujet du procès et de ses parents qui le mettaient en colère, et non les autres et leurs actes. Il avait souffert de son propre jugement et de ses réactions à leurs mensonges. Quand il cessa de donner puissance à ces mensonges, il fut à même d'accorder à sa Divine Présence toute son attention.

Il est essentiel que vous compreniez l'extrême importance de ne pas s'en prendre aux autres au sujet de vos ennuis, de votre mauvaise santé ou de vos souffrances ; il faut vous débarrasser de l'absurde croyance superstitieuse, selon laquelle les autres peuvent empêcher votre réussite. Votre réussite, votre bonne fortune, se trouvent dans votre foi en Dieu et en toutes bonnes choses, le succès de vos entreprises en dépend.

Cessez de blâmer père et mère

Un Pakistanais universitaire me dit que la raison pour laquelle il n'avançait pas dans la vie et pourquoi il ne gravissait pas les échelons de la promotion scientifique se trouvait dans le fait que ses parents lui avaient sans cesse répété qu'il était stupide, cancre et qu'il n'arriverait jamais à rien.

Je lui fis comprendre que ses parents avaient adopté cette fâcheuse habitude non pas pour lui nuire, mais, probablement dans l'espoir de le stimuler dans ses études.

Je lui fis remarquer qu'étant parvenu à sa maturité physique et émotionnelle, il était essentiel qu'il prît à présent conscience de ce qu'il est responsable de la façon dont il se sert de son esprit. Ses parents sont maintenant hors de cause.

En réfléchissant sur ce que je lui disais, cet homme comprit qu'il s'était mal servi de ses pouvoirs mentaux, qu'il était seul responsable de ses pensées et de son imagerie mentale. En conséquence, il se mit à remplir son esprit des vérités éternelles ; sachant qu'à mesure qu'il en saturerait sa subconscience, il éliminerait les prototypes négatifs suggérés par ses parents.

Conformément à ma prescription, il répète régulièrement plusieurs fois par jour : « *L'Intelligence Infinie me guide. La loi et l'ordre Divin gouvernent ma vie. L'Amour Divin remplit mon âme et j'irradie l'amour, la paix et la bonne volonté envers mes parents et tous ceux qui m'entourent. Je me pardonne d'avoir entretenu des pensées destructrices, des pensées de ressentiment, et je les remplace par les pensées d'harmonie, de paix, de bonne volonté. Je suis fils de Dieu, Dieu est mon guide, mon conseil, le Pourvoyeur de ma richesse. Les merveilles s'accomplissent dans ma vie.* »

Cet homme avait découvert qu'il se retenait lui-même en arrière ; lui seul, et non son père, sa mère, pas plus que ses grands-parents ou d'autres. Ses échecs n'avaient pour cause que sa négligence et son apathie mentale. Le Principe Créateur était, comme en tous, en lui, mais il ne s'en était pas convenablement servi. Le Principe-Entendement-Créateur est hors du temps et de l'espace. Peu importe ce qui s'est passé autrefois. Vous pouvez le changer *maintenant* !

Déliez-les et laissez-les aller

Une femme, secrétaire de direction, était profondément troublée, se sentant humiliée, parce qu'une autre femme de son bureau l'avait présentée à un visiteur comme étant « secrétaire de classement ». Je lui expliquai que cette femme n'avait aucun pouvoir, ni pour l'abaisser ni pour l'élever, que ce qu'elle disait ou ne disait pas ne pouvait en aucun cas la perturber. La perturbation avait pour cause le mouvement de son propre esprit ; autrement dit, la qualité de ses pensées.

Si vous avez atteint votre maturité spirituelle, vous vous dites : *« Suis-je une secrétaire de classement ? Que suis-je ? »* Etant adulte, vous dites peut-être en souriant : *« J'étais secrétaire de classement, mais à présent je suis promue, je suis secrétaire de direction. »* Spirituellement adulte, vous vous dites à vous-même : *« Je suis fille de l'Infini, enfant de l'Eternité. Voilà ce que je suis véritablement. »*

Cette personne apprit à considérer les gens objectivement et non plus émotionnellement ; elle apprit à laisser les autres comme ils sont, et à ne jamais transférer aux autres son propre pouvoir. Elle a également appris à faire respecter ses droits, ses prérogatives et ses privilèges. A présent, elle est respectée de tous.

Il est facile de corriger sans rancœur, sans amertume, une présentation inexacte, comme celle dont notre jeune femme avait été victime. Par ailleurs, il ne convient pas de se laisser prendre pour un paillasson, un ver de terre. Si, dis-je à ma consultante, l'autre femme vous jalouse, cela est son problème, pas le vôtre. Libérez-la mentalement, spirituellement, et laissez-la aller. Et puis, apprenez donc à rire de vous-même au moins six fois par jour !

Vous êtes le maître

« **Et Dieu dit : faisons l'homme à notre image, selon notre ressemblance, et qu'il domine sur les poissons de la mer, sur les oiseaux du ciel, sur le bétail, sur toute la terre, et sur tous les reptiles qui rampent sur la terre** » (Genèse 1 : 26). Cela signifie que vous êtes le maître, et non l'esclave. Vous avez la domination, acceptez-la et exercez-la. Cessez de déléguer votre puissance aux choses extérieures.

Après une conférence que je fis au Saddleback Theatre, à El Torro, un Dimanche, un homme me dit qu'il était terriblement allergique aux roses, qu'elles irritaient ses yeux, son nez, sa gorge, provoquant l'inflammation de la muqueuse et l'effusion lacrymale.

Je lui demandai s'il souffrait de cette allergie depuis sa naissance. *« Non »,* me répondit-il, *« cela m'est arrivé il y a environ cinq ans. »* Poursuivant la conversation, j'appris que cet homme avait été fiancé à une jeune fille qui portait toujours des roses rouges. Elle l'avait abandonné en faveur d'un autre et cet homme, subconsciemment, identifiait les roses à son ressentiment envers la jeune personne.

La rose est une idée de Dieu, et Dieu prononça bonne sa création. La rose symbolise la beauté, l'ordre, la symétrie, la proportion. J'expliquai à mon interlocuteur qu'il fallait qu'il cessât de donner pouvoir aux roses. Elles n'en ont point.

Il apprit à pardonner à son ex-fiancée en la remettant à Dieu, lui souhaitant toutes les bénédictions. Cela fait, il fut à même de penser à elle avec quiétude. Et à présent il peut respirer la rose, admirer sa beauté, création de Dieu, et même en arborer une à sa boutonnière.

Cet homme a pris conscience de sa domination sur les choses. Il sait à présent que la cause de ses malaises était dans son esprit et non dans la rose. Il cessa de lui attribuer des qualités, des propriétés qu'elle n'a pas. La puissance est en vous, non dans la rose.

Elle dit : Billy ne veut pas apprendre

Une mère se plaignait à moi de ce que son fils, Billy, âgé de huit ans, ne voulait pas étudier, ne s'intéressant à rien en classe. En parlant avec cet enfant, je découvris que le mal venait de ce que Billy n'aimait pas son institutrice parce qu'elle le trouvait trop lent et lui disait qu'il fallait qu'il se réveille et qu'il apprenne ses leçons.

La mère et le père se mirent à louer Billy, lui disant qu'ils lui faisaient confiance, qu'il était intelligent et qu'ils étaient certains qu'il allait faire de très bonnes études et devenir quelqu'un de remarquable. La mère alla voir l'institutrice ; avec diplomatie, elle obtint de celle-ci une attitude semblable envers l'enfant, l'assurant que, si elle y consentait, Billy lui ferait honneur. C'est ce qui advint.

Il est notoire que, lorsque les parents et les maîtres font confiance à l'intelligence et aux capacités d'un enfant, il avance d'autant plus vite. Dites à vos filles et à vos fils que vous croyez en eux ; que Dieu les habite et que vous vous attendez à un merveilleux avenir pour eux. Répétez-leur sans cesse ces vérités, sachant que vous imprégnez et conditionnez ainsi leur esprit vers la grandeur et la victoire. Inévitablement ils répondront en conséquence.

Votre croyance et votre conviction se communiqueront à leur esprit impressionnable, et votre attente sera comblée dans l'Ordre divin, car vous aurez salué en eux la Divinité. Chaque fois, vous ressusciterez les attributs et les potentialités de l'Etre Infini qui les habite. Ils répondront à votre conviction parce que « ... **la sagesse est justifiée par ses œuvres...** » (Matthieu 11 : 19) (1).

Il était son propre problème

J'ai parlé récemment à un homme qui m'avoua qu'il avait autrefois jugé sévèrement les gens de son bureau, ce qu'ils

---

1. Le texte anglais dit : « *La sagesse est justifiée par ses enfants* » (N.T.).

disaient et faisaient. Il en était perturbé et irrité. Mais lorsqu'il commença l'étude de la divine Science, il comprit qu'il projetait sur ces personnes ses propres pensées, ses opinions, ses points de vue religieux et que sa perturbation était son œuvre. Il était cause de ses maux d'estomac, car il tolérait mal leur façon de vivre qui était contraire à ses convictions.

L'ayant compris, il cessa toute critique, remettant ses collègues à l'Infini et leur laissant toute liberté de croire et de vivre à leur gré. Il avait bien pris conscience de ce que rien n'est à changer si ce n'est nous-mêmes, et aussi qu'il était l'auteur de ses maux d'estomac. Il n'eut plus à prendre des tranquillisants, ni du bicarbonate de soude ; la transformation de son attitude mentale avait transformé sa vie.

Il disait : « Un jour je serai bien portant »

La Bible dit : « **... Que le faible dise, je suis fort** » (Joël 3 : 10). Cet homme se disait qu'il était faible, nerveux, en mauvaise santé tout en souhaitant être délivré de ses malaises. De plus, il pensait que cela se ferait dans l'avenir ; il empêchait ainsi sa guérison.

Je lui fis remarquer que, lorsque l'on dit « JE SUIS » première personne du présent, il n'y a point de futur. Il ne faut donc pas dire : « *Un jour je serai bien portant.* » L'Infinie Présence Guérissante est en nous, elle ne connaît ni temps ni espace. Rendez donc grâce de ce que votre guérison s'effectue dans le présent. Votre propre conscience-d'être est la porte à toute expression ; par conséquent il faut que vous déclariez que vous êtes dès maintenant ce que vous aspirez à être ; peu à peu vous établirez l'équivalence mentale.

La volonté de l'Infini s'exprime dans la Bible de la façon suivante : « **... Elle répondit (je suis) bien** » (II Rois 4 : 26) et non : « *J'irai bien.* » Quand vous dites : « *Un jour je serai bien portant* », vous dites, en fait : « *Je suis malade.* » Tout ce à quoi vous dites « JE SUIS » vous le devenez. Ayez donc bien soin de ce à quoi vous dites : « JE SUIS. »

Suivant ma suggestion, cet homme commença à se chanter à

lui-même : « *Je suis en parfaite santé ; Dieu est ma santé* », prenant bien conscience de ce qu'il disait et pourquoi. Le résultat ne se fit pas attendre. En deux semaines, à peu près, il fut transformé, revitalisé, rajeuni par l'Esprit Saint en lui-même.

Il faut que vous compreniez bien que la volonté de Dieu c'est la reconnaissance de ce qui est, et non de ce qui sera. Dieu est l'Eternel Présent ! Sans temps, sans espace, et la paix, la joie, l'amour, l'harmonie, l'intégrité, la sagesse sont en Lui. Revendiquez et acceptez votre bien ici-même. Sentez-en la réalité et affirmez hardiment : « *Ta volonté est faite.* »

La volonté de l'Infini est sa nature même, et toutes les qualités, tous les attributs, tous les pouvoirs de Dieu sont en vous. Quand votre désir d'harmonie, de santé, de paix, de joie, d'abondance devient une conviction dans votre subconscience, il est alors la volonté de Dieu et non plus un choix, un désir humain. Vous savez très bien que votre choix, votre intention ou votre désir, doit être senti par vous comme étant vrai, c'est-à-dire subjectifié, imprimé dans votre subconscience. Alors votre volonté, votre désir, votre choix imprimé dans votre subconscience va, inévitablement, s'exprimer.

En langage biblique, ce n'est plus « *ma volonté* », mais « *que ta volonté soit faite* ». Votre conviction s'accomplit (la volonté de Dieu). Votre prière est exaucée. Cela est une explication très simple de « ... **Non pas ma volonté, mais que la tienne soit faite** » (Luc 22 : 42).

Elle avait peur des chiens

Une jeune femme me dit qu'avant d'accepter une invitation à se rendre dans une maison, elle essayait toujours de savoir s'il s'y trouvait un chien, car elle avait peur de ces animaux et les détestait. Il était facile de comprendre quelle en était la raison ; je le compris en m'entretenant avec elle. Alors qu'elle était âgée de quatre ans, un chien avec lequel elle jouait l'avait mordue. La mémoire de cette expérience traumatisante était la cause de sa peur.

L'amour chasse la crainte ; je lui suggérai de pratiquer l'art de se servir de l'imagination d'une façon constructive. Tous les jours, pendant un certain temps, elle devait se détendre, fermer les yeux, et imaginer qu'un beau chien se tenait devant elle qu'elle caressait, lui prodiguant de l'affection et se réjouissant mentalement de la réaction heureuse du chien. Elle s'imaginait aussi le nourrissant, le soignant, sentant que tout cela était parfaitement naturel ; elle faisait de ces images mentales une vivante réalité.

Environ huit jours après, cette personne se sentit libérée de sa peur. En fait, elle avait mis en pratique la loi de l'esprit et découvert que ce qu'elle dramatisait subjectivement pénétrait sa subconscience et qu'elle se trouvait contrainte d'aimer les chiens. L'amour chasse la crainte et c'est l'attachement émotionnel à un idéal, un attachement par lequel vous devenez fasciné, absorbé, intérieurement intéressé dans l'attente d'un certain but, d'un objectif.

Dans son action imaginaire, cette jeune personne avait aussi réfléchi sur l'amour que le chien porte à son maître, au point, parfois, de lui sacrifier sa vie. Elle réfléchit sur la fidélité de cette créature ; sur le fait que le chien sauve des enfants et des hommes pris dans des avalanches alpines. Cette méditation constructive fortifia dans sa mentalité l'amour envers les chiens.

Dans la quiétude et la confiance est votre force (Esaïe 30 : 15)

Aujourd'hui, presque chaque jour, nous lisons ou entendons parler de rapports, de pronostics de l'Armageddon proche ; de la fin du monde, de la famine, de la révolution, des suggestions pour lutter contre le cancer, la tuberculose, la pollution. Mais on parle peu ou pas du tout de la pollution de l'esprit. Or, « *Il en est au-dehors comme au-dedans.* »

Il faut d'abord nettoyer l'intérieur. De plus, il faut se rappeler que ce que nous combattons dans notre esprit, nous l'aggravons, l'accroissons et nous nous en réinfectons de plus en plus négativement. L'homme peut détruire les bidonvilles, les taudis ; mais il oublie qu'il faut d'abord, surtout, nettoyer les taudis qui existent dans son esprit, car c'est là qu'est l'infection. Lorsque le savant se tranquillise pour penser à un antidote, la réponse vient à son esprit détendu, passif, réceptif. Ce n'est point en s'agitant, en étant surexcité au sujet de quelque problème qu'il en obtiendra la réponse ; une telle attitude, il le sait, porte sa propre défaite et même aggrave les choses.

L'esprit serein est celui qui accomplit

Les hommes et les femmes qui sont tout bouillants de colère contre l'établissement ou quelque organisation que ce soit, ne vont point résoudre les problèmes du monde en dépit de leur agitation, de leurs slogans vengeurs, de leurs éclats de rage et d'hostilité. Leurs émotions sont de nature à les détruire, à les conduire aux échecs et aux déceptions.

Il faut que celui qui désire bien conduire les hommes, celui qui veut accomplir de grandes choses, se tranquillise et qu'il contemple en lui-même la sagesse et la puissance de Dieu afin d'en être lui-même guidé et conduit. Si vous êtes le président-directeur d'une firme, si vous en présidez une conférence, et si vous êtes intérieurement calme et en communion avec l'Infinie Présence qui vous habite, vous serez à même de communiquer à tous ceux qui vous entourent cette quiétude, cette confiance, cette paix. Souvenez-vous bien que tout ce sur quoi vous vous agitez, toute querelle dans votre esprit s'imprègne dans votre subconscience et vous en absorbez la négativité. Tranquillisez-vous, pensez à la solution dont vous avez besoin avec calme et dans la certitude de son apparition, sachant que vous devenez précisément ce que vous contemplez.

Une femme me dit qu'elle avait une grande peur du cancer. Je lui demandai si elle en était atteinte. Elle me dit que non. Je lui conseillai alors de se débarrasser de cette idée ; de la remplacer par celle de la parfaite santé, de la beauté et de la perfection. Je lui donnai la prière dont j'ai précédemment parlé : « *Je suis la santé parfaite ; Dieu est ma santé.* » Elle détruisit ainsi la pensée vicieuse, en lui substituant la vérité de son Moi réel, qui est Dieu.

L'esprit fermé

On ne peut rien mettre dans un verre qui est rempli. Un parachute ne sert à rien qui ne s'ouvre pas. Il faut que votre esprit soit ouvert et réceptif aux idées nouvelles, relatives aux éternelles vérités. L'esprit inflexible croit qu'il sait tout de la vérité ; qu'il n'a plus rien à apprendre. L'homme de cet esprit est dans un triste état. Vous êtes dans la Présence de l'Infinité, et vous pouvez vous approprier plus de sagesse, de lumière, de compréhension chaque jour.

Vous êtes au centre d'un inépuisable réservoir de richesses infinies. Jamais, dans l'Eternité, vous ne pourrez épuiser toutes les splendeurs, toute la sagesse de l'Unique Infini.

La vieille légende le dit bien

Il y a des millions d'années, dit-on, les dieux s'assemblèrent en un conclave sur le Mont Olympe. Le but de cette conférence était de déterminer s'il fallait confier aux mortels la Vérité afin qu'ils soient encouragés et stimulés à vivre comme les dieux. L'auguste décision décréta que le « Joyau de la Vérité » serait donné à l'homme.

Un des dieux les plus jeunes pria ses aînés de lui permettre de se rendre sur la terre, afin de porter le Joyau Précieux à l'humanité, s'attirant ainsi les bénédictions des anciens. La permission lui fut accordée et il en fut transporté de joie. Mais, au moment où il touchait terre, il trébucha, tomba et le « Joyau de la Vérité », fut brisé en mille morceaux.

Les dieux de l'Olympe en furent troublés et le jeune dieu humilié et déçu. Vous voyez la morale de cette légende, elle montre que cette chute fut cause de bien des maux. Car, désormais, les hommes trouvent des parcelles du joyau et chacun s'imagine qu'il est le seul à détenir la Vérité.

Dieu est Vérité, et Dieu habite tous les hommes de la terre. Il n'y a qu'une Vérité, Une Loi, Une Vie, Une Substance, et Un Père de Tout — « Notre Père », Principe de Vie —, Notre commun Progéniteur. La Vérité est unique et indivisible. Lorsque vous dites « JE SUIS », vous annoncez la Présence et la Puissance de Dieu en vous. Telle est la Réalité de chaque personne.

« ... **Dieu ne respecte pas les personnes** » (Actes 10 : 34) ; Dieu est en tous.

14

La voie de la
sagesse

La maison hantée était dans son esprit

Il y a quelque temps, un homme me dit que sa maison de campagne était hantée. Il y va rarement, les volets sont clos, les fenêtres barrées. Il me dit que ses beaux tapis persans sont mangés par les mites. Il me dit qu'il ne croit pas aux fantômes, il en plaisante même ; cependant il a peur de dormir dans sa maison.

Cela montre bien que chacun croit à quelque chose, que ce soit à une religion ou à un faux dieu. Les athées disent : « *Je ne crois pas en Dieu* », mais leur esprit accepte quelque autre règne. Toute pensée qui domine votre esprit, que vous acceptez comme vraie, exerce son règne sur vous.

En Angleterre et dans beaucoup de parties de notre pays, on lit de temps en temps les récits de maisons hantées, de bruits bizarres, de fantômes qui se promènent, de lumières qui apparaissent et disparaissent, de meubles déplacés, de fenêtres ouvertes, de coups de vent glacés et d'autres manifestations surnaturelles.

Cet homme avait acheté sa maison quelques années auparavant et il y avait passé de nombreuses fins de semaines heureuses. Au bout de quelques mois, cependant, des voisins lui avaient parlé de rumeurs qui circulaient au sujet d'une grande tragédie, qui aurait eu lieu dans cette maison. Les propriétaires qui la lui avaient vendue ne lui en avaient rien dit. D'autres personnes lui en parlèrent, chacun l'amplifiant selon sa fantaisie.

A la suite de ces récits, d'étranges événements se produisirent dans cette maison qui firent penser à mon interlocuteur qu'elle était hantée par des entités mauvaises, des esprits attachés à la terre. Il entendit des paroles incompréhensibles. Les fantômes se meuvent quand la lumière de l'esprit n'est pas claire ; ceux que percevait notre homme étaient les créatures de ses craintes et de son ignorance, de l'obscurité de son esprit.

La guérison

Bien souvent l'explication d'un mal est sa guérison. Je lui fis remarquer qu'en fait il était victime de suggestions négatives, car pendant deux mois il avait été parfaitement tranquille, mais dès l'instant où il avait accepté les récits de ses voisins, sa subconscience avait dramatisé leurs dires et attisé ses craintes superstitieuses. Pour le guérir, il fallait lever les ombres de son esprit en y faisant pénétrer la lumière de l'Amour divin. Pour certains, la nuit est mauvaise conseillère ; ils croient voir des spectres, des fantômes, par exemple lorsqu'ils passent près d'un cimetière. Tout cela est dû à leurs craintes basées sur de fausses croyances, et cela a souvent lieu au crépuscule, au moment où l'ombre paraît.

Par exemple, j'ai connu un homme qui, rentrant chez lui un soir, crut voir un homme monté sur un cheval noir et qui le visait de son fusil. Il se sentit paralysé par la peur. Mais lorsque sa femme, qui l'attendait, ouvrit la porte de la maison, la lumière qui en sortit révéla qu'une branche d'arbre était cause de sa stupeur !

L'homme dont nous parlions précédemment se demandait à présent pourquoi, lorsqu'il y entrait, les tables craquaient et les lumières vacillaient dans sa maison. Tout cela ne se passait que dans sa subconscience. Son esprit était une maison hantée par son acceptation de suggestions négatives.

Je lui donnai la prescription spirituelle suivante qu'il devait répéter à haute voix plusieurs fois par jour et particulièrement le soir : « *La paix de Dieu remplit et sature l'atmosphère de ma maison. Seul l'Amour divin y entre et en sort. Ma vie est la Vie de Dieu et la paix de Dieu règne sur mon esprit et dans mon cœur. Ma foi est en Dieu. Dieu a soin de moi. Je suis entouré du cercle sacré de Son amour et partout protégé. La lumière de Dieu brille sur moi. La loi divine, l'ordre divin règnent ici.* »

Cette prière neutralisa les suggestions négatives de ses voisins et cet homme ne tarda pas à comprendre que ce qu'il avait redouté n'était que les créations de l'obscurité de son propre esprit.

Le passé est mort

J'ai découvert que beaucoup de personnes ne savent mouvoir que leur corps, leur esprit n'avance pas. Par exemple ils souffrent de la perte d'une affection, un être cher disparaît, ou un scandale éclate dans la famille ; ils n'en sortent pas. Or, vivre dans le passé est mortel, cela enlève toute vitalité et la paix de l'esprit.

Beaucoup ne comprennent pas qu'ils conservent ces souvenirs, ces choses dans leur subconscience. J'ai découvert que nombreux sont ceux qui, chaque soir, les revivent et qu'ils ont des cauchemars. Il leur faut apprendre à se détacher du passé, à changer leurs pensées et à les maintenir dans ce changement.

Que pensez-vous de vous-même ? Que pensez-vous du monde, des nouvelles ? Vous rendent-elles furieux ? S'il en est ainsi, vous régnez mal sur votre esprit. Peu importe si tous ceux qui écrivent dans les journaux ou qui présentent les nouvelles à la télévision ou à la radio ont tort ou raison ; si ce qu'ils disent vous irrite, vous perturbe, vous n'êtes pas maître de vous.

Ce n'est point dans votre maison ni dans votre corps que vous vivez ; c'est dans votre esprit. Vous vivez dans votre état de conscience qui est la somme totale de toutes vos pensées, de vos sentiments, de vos croyances.

Il y avait ici, à Laguna Hills, une femme qui pleurait sa mère. Tous les jours, elle se rendait sur sa tombe pour y mettre des fleurs et pleurer. Sa mère n'y était pas ; elle n'était point dans ce corps qui, dans la terre, se désagrégeait. Toute cette tristesse qui enveloppait sa fille était la création de son propre esprit ; elle se complaisait dans un sentiment de perte, y trouvant une pseudo-satisfaction. Mais elle s'identifiait ainsi à la finalité, à la cessation, à la limitation ; tout cela infestait son esprit. Sa santé et sa vision s'altérèrent ainsi que ses finances ; tout autour d'elle, allait mal, à cause de son sentiment de manque.

Elle apprit à changer son attitude mentale, comprenant que sa mère ne lui avait été enlevée que par une autre fréquence. Elle se mit à prier pour elle, se réjouissant de sa naissance en Dieu, irradiant envers elle l'amour, la paix. Chaque fois qu'elle pensait à sa mère elle affirmait : « *Maman, vous allez de plus en plus en Dieu.* » Peu à peu sa vision revint et toute sa vie fut transformée par la prière scientifique. Oui, la prière transforme celui qui prie avec sincérité.

Il avait un complexe de martyr

Un de mes consultants me dit qu'il était fort maltraité par la firme pour laquelle il travaillait depuis plus de 25 ans. Il se complaisait à raconter et à ruminer les injustices dont il était victime ; cette compagnie, au moment d'une annexion, l'avait licencié sans explication. Il se construisait un beau complexe de martyr et sa morbidité et son ressentiment avaient pour résultat une forte tension artérielle.

J'expliquai à cet homme qu'il avait mis un gangster à la tête de son propre esprit, un tyran qui détruisait sa santé et ses finances.

Un voyage en esprit

Je lui fis comprendre que l'idée dominante qui gouverne l'esprit s'enfonce dans la subconscience et se manifeste dans les événements.

Voilà la technique spirituelle qu'il décida d'employer : « *Je libère complètement de ma pensée la compagnie, j'en remets tous les membres à Dieu et je leur souhaite du bien. L'Esprit Infini ouvre pour moi la porte vers une expression nouvelle d'une façon merveilleuse. Je prodigue mes talents, mon expérience, je le sais, je l'accepte. Cette nouvelle idée qui, à présent, me possède, va croître et se manifester pleinement.* »

Cette idée, dominant son esprit, gouverna toutes ses autres pensées, ses sentiments, ses émotions ; il devint son maître. Il continua d'affirmer ces vérités, en satura sa subconscience et une porte s'ouvrit en effet devant lui ; il fut engagé à l'étranger pour un salaire très supérieur à l'ancien.

Religion et science

Votre religion doit être scientifique. La religion et la science sont les deux arcs d'un même cercle. La religion doit être scientifique et la science religieuse ; sinon l'esprit humain devient une sorte de maison hantée, hantée par les regrets, les tragédies, les traumatismes des événements douloureux.

Quand l'homme comprend qu'en se servant correctement des lois de l'esprit il obtient une réponse de l'Esprit Infini ; lorsqu'il est convaincu, il sait alors ce que c'est que la joie de la prière exaucée.

Il entendit des voix étranges et grinçantes

Un homme qui, pendant des années, avait haï sa femme, eut un profond sentiment de culpabilité pour la triste façon dont il l'avait traitée, lorsqu'elle mourut d'un cancer. Il avait peur d'en être puni et était rongé par le remords. Il me dit que, la nuit, il entendait des bruits étranges, des voix surnaturelles, grinçantes et des pas dans les escaliers. Il voyait dans sa chambre ce qu'il prenait pour des fantômes. Il affirmait que des mains invisibles le griffaient la nuit et que ses égratignures en étaient preuve. Tout cela se passait entre minuit et trois heures du matin, toutes les nuits. Son médecin lui avait prescrit des tranquillisants qui n'avaient aucun effet.

Je reçus en consultation cet homme plusieurs fois. Il m'était clair qu'il s'était servi de la planche Ouija et qu'il croyait à toutes sortes d'entités mauvaises. Plein de remords, il était profondément déprimé.

Je lui expliquai qu'il n'y a point de spectres, de fantômes, de bruits étranges dans une maison (un esprit) où l'on médite sur les vérités de Dieu. Ces phénomènes ne se produisent pas dans l'esprit qui est rempli de la lumière, de la vérité et de l'amour de

Dieu. Le profond sentiment de culpabilité de cet homme, la crainte d'être puni pour sa méchanceté envers son épouse, sa croyance en des entités mauvaises, tout cela avait été dramatisé par sa subconscience et s'extériorisait.

Il fallait qu'il sorte du brouillard qu'il avait lui-même créé. En prenant conscience de notre puissance spirituelle, nous trouvons la paix, et cette paix ne connaît aucun ennemi extérieur.

Cet homme décida de prier pour sa femme. Jour et nuit il affirma que l'Amour divin remplissait son âme et que la Paix de Dieu régnait en elle. Au bout de quelques jours, il se sentit en paix et son sentiment de culpabilité le quitta. Il se mit à saturer son esprit des 91e et 23e Psaumes plusieurs fois par jour et particulièrement, le soir avant de s'endormir.

Tandis qu'il affirmait les grandes vérités contenues dans ces Psaumes, la puissance guérissante de Dieu agit en lui ; la paix l'envahit et il n'entendit plus aucun bruit suspect. Il s'était abandonné et avait remis sa femme en Dieu. La lumière et l'amour de Dieu pénétrant son âme, toute obscurité en avait disparu.

Laissez la sagesse gouverner

Intronisez la sagesse dans votre esprit, c'est-à-dire la conscience de la Présence et de la Puissance de Dieu, en demeurant dans le concept de la paix, de la force, de l'action juste. Occupez votre esprit de ces vérités, l'harmonie et la satisfaction en seront les hôtes. Vous êtes ici pour manifester la nature de Dieu dans la chair. Job dit : « ... **Tandis que je serai encore dans la chair, je verrai Dieu** » (Job 19 : 26).

Elle affirmait qu'un fantôme bruyant était en cause

Au cours d'une longue conversation avec une personne, je soupçonnai que sa fille était le prétendu fantôme dont elle se plaignait. Sur mes conseils, elle envoya sa fille chez sa grand-mère à Los Angeles. Pendant les deux semaines de son absence il n'y eut aucune manifestation incongrue ; ni meubles ni vaisselle déplacés, ni tableaux tombés des murs, ni lumières allumées, ni fenêtres ouvertes.

L'activité dite « poltergeist » est connue du monde entier, c'est un phénomène du subconscient et qui n'a rien à voir avec les spectres, ni avec les mauvais esprits. La cause en est simplement une force psychokinétique latente dans le subconscient, qui souvent se manifeste aux moments de tension ou de la puberté.

La jeune fille de ma consultante, âgée de douze ans, vint à mon cabinet accompagnée de sa grand-mère ; je découvris qu'elle avait envers sa mère un terrible ressentiment parce qu'elle sentait que celle-ci lui préférait son frère ; en fait, elle le lui avait dit. Au moment de la menstruation, cette enfant avait demandé des explications à sa mère qui lui avait dit que c'était une époque sale ; inconsciemment, l'enfant se révoltait. Les phénomènes para-normaux étaient des manifestations de la puissance de son subconscient, dont elle se servait négativement.

Il n'y a qu'Une Puissance, mais nous pouvons nous en servir constructivement ou négativement. J'expliquai à la mère et à la grand-mère la situation. A présent, cette mère prodigue son attention et son amour à sa fille qui se sent appréciée, aimée. De son côté, la jeune fille a appris à prier pour sa mère, disant : « *Dieu aime ma mère. Moi aussi je l'aime et j'en suis aimée.* » Elle en a fait une sorte de chanson qu'elle se répète, silencieusement et audiblement, bien des fois par jour.

La solution de tous les problèmes de rapports humains c'est d'exalter Dieu dans les autres. C'est de penser à Son amour infini.

Le mauvais temps l'enrhume

Un homme me dit que lorsqu'il quittait la chaleur de sa demeure, l'air froid de la nuit l'enrhumait, il était parcouru de frissons et se mettait à tousser, il faisait de la température ; il était obligé de se mettre des gouttes dans le nez et de prendre de l'aspirine.

Je lui expliquai que l'air de la nuit n'était pour rien dans ses malaises. Son rhume était dû à sa croyance dans la nocivité du temps. Lorsqu'il passait de sa chambre chauffée dans l'air froid de la nuit, la nature recherchait un équilibre dans ce changement de température, et il éternuait. D'un effet il faisait une cause et souffrait du résultat.

Les lois cosmiques sont providentielles et agissent pour le bien de tous. Répétons-le, cet homme interprétait de travers ses éternuements qui n'étaient que l'effet de sa subconscience pour maintenir la température de son corps. A toute action il y a une réaction égale et correspondante à l'action. Cela est aussi bien de la physique que de la métaphysique.

Beaucoup de personnes, lorsqu'elles se mettent à tousser un peu, prennent peur de s'enrhumer. L'émotion est l'action, et la toux ou l'éternuement, la réaction. Si, par la peur dictée par l'ignorance, nous croyons que la toux ou l'éternuement est le signal d'un gros rhume, notre croyance va nous apporter la maladie que nous redoutons. « **Car ce que j'ai grandement recherché c'est ce qui m'arrive...** » (Job 3 : 25). Changez cela, affirmez : *« Ce que j'aime grandement m'arrive. »* Eprenez-vous de l'harmonie, de la santé, de la paix, de l'abondance, des vérités de Dieu. Le désert de votre vie fleurira comme la rose.

15

Le langage
de la Bible

Les deux faces

On dit qu'il y a deux faces à chaque question mais qu'une seule est juste. Cette face, il faut l'apprendre pour connaître la Vérité. Emerson dit, dans son essai sur la Compensation : « ... *car l'inévitable dualisme bissecte toute la nature, de sorte que toute chose est une moitié et en appelle une autre afin d'être entière ; comme esprit-matière ; homme-femme ; subjectif-objectif ; intérieur-extérieur ; supérieur-inférieur ; mouvement-repos ; oui-non.* »

Il y a la lumière et l'obscurité, le flux et le reflux, le doux et l'amer. Il y a la chaleur et il y a le froid, mais du point de vue de la Vérité absolue, il n'y a point de froid. Il y a la santé, il y a la maladie, mais dans l'Absolu tout est intégrité, beauté et perfection. La valeur positive est lumière, santé et amour. Les opposés apparaissent dans notre expérience, afin que nous puissions apprendre la signification des positifs ; sans cette opposition en arrière-plan, leur signification véritable nous échapperait.

Quand les gens posent des questions comme celles-ci : Pourquoi Dieu nous a-t-Il créés ? Afin que nous puissions pécher ? nous égarer ? tomber malade ? Pourquoi le bien et le mal ? La souffrance et la maladie ? Ce que nous venons de dire est la réponse. Nous connaissons par contraste, par comparaisons. Comment saurions-nous ce que c'est que la joie, si nous ne pouvions verser de temps à autre une larme de chagrin ?

Nous sommes des êtres sensibles, et nous ne connaissons les couleurs qu'à cause de leurs différentes vibrations lumineuses. L'infinie différentiation est la loi de la vie. La véritable connaissance scientifique reconnaît les oppositions de la vie. Le bien a son opposé, afin que nous puissions le choisir et rejeter le négatif. Comprendre et choisir le bien dans la vie, cela s'appelle la sagesse. La sagesse sait ce qui est bon, ce qui est conforme à l'universelle vérité.

On peut dire qu'il y a deux langages. La Bible, qui est écrite dans un langage secret de paraboles, d'allégories, de métaphores, et un langage figuratif. Le monde en parle un autre, et des millions d'êtres prennent la Bible dans son sens littéral. Les lois de ce pays sont écrites en bon anglais, mais les juristes sont en constant désaccord sur leur signification. La Cour Suprême est divisée au sujet de certaines parties de la Constitution.

En fait, il y a deux langages dans la Bible, et il en résulte une confusion, une erreur d'interprétation sans fin. Pour comprendre la Bible, il faut apprendre la signification des symboles. Paul dit : « ... **Christ en vous, l'espérance de la gloire** » (Colossiens 1 : 27). Le Christ n'est pas un homme ; le Christ est la Présence de Dieu en tout homme. Lorsque vous vous mettez à vous servir de cette Puissance, vous prenez de vous-même une autre appréciation.

Le Christ c'est la sagesse qui permit à Jésus d'accomplir ses grandes œuvres. C'est elle qui donne la santé et le bonheur. Lorsque vous comprenez que vos pensées sont créatrices, que ce que vous pensez et sentez comme étant vrai s'exprime dans votre vie, et quand vous savez que ce que vous imaginez vous allez le devenir, alors vous possédez une part de la sagesse que l'on appelle le Christ.

Le Christ en vous, cela signifie simplement la pratique de la Présence de Dieu. Cela n'a rien à voir avec la personnalité. La Présence-Dieu ne respecte pas les personnes. La plupart des hommes ne savent pas que cette Divine Présence les habite, et ils croient que les choses extérieures les affectent et ont sur eux de l'influence sans leur consentement.

Cette attitude est appelée dans la Bible « le fils de perdition » ; ce qui signifie tout simplement le sentiment d'incapacité et de limitation.

Malheureusement, ce n'est point de sa divinité, de Dieu en

lui-même, que l'homme a généralement connaissance. Dieu est synonyme de bien, et la contemplation du bien en toutes choses donne la santé et le bonheur.

Demandez-vous si ce que vous craignez est réalité ou illusion. Lorsque vous affirmez l'action juste, la beauté, l'amour, la paix, l'inspiration et l'harmonie divines, lorsque vous exercez ces pouvoirs et ces qualités de Dieu, c'est ce qui s'appelle le Christ en vous, l'espérance de la gloire.

Quelqu'un me demanda l'autre jour ce que Paul signifiait par « ... **L'avènement du Christ...** » (II Thessaloniciens 2 : 2). Paul ne parle pas d'un millénaire où tous les hommes seront soudainement et miraculeusement transformés par la lumière d'En Haut. L'illumination ne se produit pas ainsi. Elle vient par la méditation, la prière, la contemplation. Nul ne peut vous la donner. Ce n'est point quelque chose qui peut vous venir sans votre participation mentale, votre attention donnée aux éternelles vérités.

Il faut qu'il y ait d'abord, comme le dit Paul, abandon de toutes fausses croyances, de tout concept erroné, avant que la Présence de Dieu soit ressentie par le cœur. Tant que vous restez convaincu que des puissances extérieures à vous-même conditionnent votre vie, vous en restez sujet. Si vous voulez la connaissance et la sagesse que la Bible appelle le Christ, il vous faut abandonner les fausses croyances religieuses et la propagande du monde, et accepter le don de la Vérité dans votre cœur.

Paul dit « ... **il faut que l'apostasie soit arrivée auparavant** » (II Thessaloniciens 2 : 3). Cela veut dire que lorsque vous comprenez que les théories, les dogmes, les croyances du monde sont autant d'impostures qui vous dérobent le bonheur, alors le jour du Christ, c'est-à-dire l'éveil de la Vérité, vous vient.

Il est insensé de dire que vous croyez en Dieu tout en croyant en une puissance capable de faire échec à Son action. Il faut qu'il n'y ait dans votre esprit aucun compromis, aucune équivoque, aucune hésitation. Ce qui est extérieur n'est point cause. Croire que d'autres peuvent empêcher votre bonheur ou penser que vous êtes atteint d'une maladie incurable, c'est nourrir une croyance qui va vous priver de santé et de bonheur.

La croyance générale

Il semble tout à fait raisonnable à l'homme ordinaire de croire que les choses qui sont cause de maladie, comme celles qui la guérissent, sont extérieures. Il ne se rend pas compte que la maladie est une perturbation émotionnelle dont les effets se manifestent dans le corps.

J'ai fréquemment parlé de votre subconscient qui, fidèlement, enregistre toutes vos émotions. Votre corps est le disque plastique sur lequel le résultat de vos émotions s'impose. Le corps n'a pas de pouvoir, ni en lui-même ni par lui-même, mais il reproduit fidèlement tout ce que vous lui imprimez. Ce que vous croyez est indélébilement écrit dans votre subconscience, pour apparaître ensuite dans votre corps et dans vos affaires.

Tout cela fait partie de la sagesse qu'on appelle Christ. Il est une science de l'esprit qui distingue entre la Vérité et l'erreur, et lorsque vous parviendrez à comprendre définitivement qu'il n'y a qu'Une Puissance, les merveilles se produiront dans votre vie.

Le serpent

Le serpent dans la Bible représente les cinq sens physiques et le jugement selon les apparences. Le serpent sème la peur et l'ignorance ; il vient vite et sans bruit ; avant que vous n'ayez conscience de sa présence dans la jungle, il attaque avec rapidité. Les suggestions négatives, les fausses croyances de l'entendement du monde laissent leur venin dans l'esprit indiscipliné et sont cause de toutes sortes de malheurs.

La réponse à tous les problèmes

La réponse à tous les problèmes du monde c'est de suivre l'injonction de la Bible : « **Confie-toi en l'Eternel de tout ton cœur, et ne t'appuie pas sur ta sagesse ; reconnais-le dans toutes tes voies et il aplanira tes sentiers** » (Proverbes 3 : 5-6).

16

La solution de vos problèmes

L'Esprit et la matière ne font qu'un, et aujourd'hui la science ne parle que de l'interconvertibilité de l'énergie et de la matière. Energie est un terme dont la science se sert pour définir l'Esprit, Dieu. Beaucoup de gens nient l'existence de Dieu, du Vivant Esprit Tout-Puissant. Nous avons ici, sur la côte Ouest des Etats-Unis, ceux qui nient même la matière.

Nous vivons dans un monde subjectif et objectif. Le sans-forme prend forme, l'invisible devient visible. Les Anciens disaient que Dieu devint homme en Se croyant homme. Nous sommes tous des manifestations de l'Esprit Infini. Nous sommes ici pour découvrir notre Divinité.

Paul dit « ... **Glorifiez donc Dieu dans votre corps...** » (I Corinthiens 6 : 20). L'Esprit, pour S'exprimer, a besoin de la forme. Votre corps est un véhicule qui vous permet d'exprimer les merveilles, les splendeurs qui sont en vous.

Devrais-je aller dans un ashram ?

Une jeune étudiante très sincère, profondément spirituelle, me demanda si je pensais qu'il serait bon qu'elle aille en Inde pour entrer dans un ashram afin de fuir le monde, à cause des conflits, de la drogue, des aberrations sexuelles de toutes sortes qui régnaient dans sa Faculté où certains professeurs proclamaient qu'il n'y a pas de Dieu.

Je lui expliquai que je suis allé dans de nombreux ashrams en Inde, j'y ai pris la parole, mais qu'il n'était pas nécessaire qu'elle s'y rende, car Dieu demeure, marche et parle en elle. Je lui dis qu'elle était à même de pratiquer la Présence de Dieu partout, à New York comme à Los Angeles, chez elle ou dans la rue.

Je lui expliquai encore que la véritable sagesse et la croissance spirituelle ne consistent pas à se sauver de là où elle est pour courir vers quelque rive lointaine. Au contraire, sa tâche et son devoir c'est de vivre là où elle est, d'achever ses études et d'apprendre à se servir de ses talents en faveur du monde. En fait, le « monde » dans lequel elle vit c'est celui de l'entendement collectif, et il faut qu'elle apprenne « **à sortir du milieu d'eux, à s'en séparer** (mentalement) » (II Corinthiens 6 : 17).

J'appris à cette jeune personne à prier scientifiquement, en disciplinant sa pensée et en irradiant l'amour et la bonne volonté à tous ses condisciples et à tous ses maîtres. Je lui donnai un livre à méditer, *Quiet Moments with God* (1), et je lui suggérai de saturer son esprit, matin et soir, avec l'une ou l'autre de ces soixante méditations, sachant que, tandis qu'elle reconditionnerait ainsi son esprit, toute sa perspective de la vie se transformerait, ce qui eut lieu. Elle se mit à penser, à parler et à agir depuis le Centre Divin de son être, et non depuis les peurs, l'ignorance et la superstition qui lui avaient été inculquées.

Sottes croyances

Beaucoup de personnes ont de bizarres, de grotesques croyances au sujet de l'argent, de la propriété et des distractions terrestres. Vous êtes ici pour donner pleine expression à vos talents et pour jouir de l'amour des autres, et aussi des récréations. Il n'y a aucune raison pour que vous n'ayez pas une merveilleuse demeure, les meilleurs vêtements, une belle voiture, toutes les meilleures choses « ... **Dieu nous donne avec abondance toutes choses pour que nous en jouissions** » (I Timothée 6 : 17).

Vous ne devez pas être possédé par les richesses extérieures,

---

1. Traduit en français sous le titre *Puissance de la Méditation* par le Dr Mary Sterling (Editions Dangles).

leur donner une trop grande importance. Dieu possède tout, mais vous avez l'usage de toutes bonnes choses, tant que vous êtes sur ce plan terrestre. Vous savez que Dieu est la Source de toutes choses et c'est de cette Source que vous attendez toutes vos bénédictions parce que vous savez que votre bonheur et votre sécurité ne sont point dans l'accumulation des biens extérieurs, mais dans votre conviction de la bonté de Dieu.

Ne séparez jamais l'Esprit de la matière. Vous vivez dans les deux mondes et vous êtes ici pour vivre une vie équilibrée et harmonieuse. Nous voyons certains irréfléchis qui réprouvent les choses matérielles, l'argent, les terres, les voitures, l'or, les diamants ; certains vont jusqu'à ne pas vouloir porter des bijoux pensant que c'est un péché. Bien sûr, il y a dans ce monde les crimes, la misère, la souffrance et l'injustice, mais tout cela est dû au penser négatif et destructif des hommes.

Dieu créa le monde et toutes choses dans le cosmos et prononça bonne Son œuvre. Il est extrêmement stupide de dire que Dieu est « Tout le Bien » et que le monde est laid. Cela crée dans l'esprit un conflit qui a pour résultat la confusion mentale. Le monde est Esprit manifesté dans une multitude de formes.

Un homme me demanda l'autre jour ce que Gandhi avait signifié en disant : *« Renoncez au monde, revoyez-le en termes différents. »* Quand Gandhi parla du monde, il ne faisait pas référence aux pierres, aux arbres, aux lacs, etc. ; il parlait de l'entendement collectif, du penser confus, borné, irrationnel des quatre milliards d'habitants de cette planète.

Il s'agit de renoncer, de rejeter complètement les fausses croyances, les peurs, l'ignorance, les superstitions de l'entendement collectif, ce grand océan psychique dans lequel nous sommes tous immergés. Vous renoncez à ce monde-là lorsque vous commencez à penser, à sentir, à prier juste. Par la prière, nous entendons la contemplation au plus haut point des vérités de Dieu.

Vous devenez ce que vous contemplez, et en méditant sur les attributs, les qualités, les pouvoirs de l'Infini en vous, vous n'êtes plus dans le monde, dans l'entendement collectif. Vous êtes alors à l'unisson de l'Infini, vous vivez au plus haut niveau de la conscience-d'être, et vous trouvez ainsi la paix dans ce monde changeant.

Révolte devant l'impôt

J'ai reçu récemment une lettre par laquelle on me demandait un don pour un certain groupe, qui prétend qu'il n'est pas légal de payer l'impôt. L'auteur de la lettre citait la Constitution pour affirmer ses dires. Tout cela, bien entendu, est autant de bêtises. Vous savez que la question fut posée il y a deux mille ans... **« Est-il permis ou non de payer le tribut à César ? »** (Matthieu 22 : 17). Jésus savait quel était le motif de cette question car il lisait dans l'esprit de l'interrogateur.

Les gens de ce pays étaient sous la domination romaine ; ils s'insurgeaient contre l'impôt et en détestaient les contrôleurs ; cependant, ils y étaient contraints. Si Jésus avait répondu négativement, il aurait ainsi conseillé la révolte contre le gouvernement romain et il aurait été arrêté et emprisonné. Il dit : **« ...Rendez donc à César ce qui est à César, et à Dieu ce qui est à Dieu »** (Matthieu 22 : 21).

César représente le monde dans lequel nous vivons. Il nous faut payer le tribut à César et accomplir ses exigences. Nous sommes ici pour nous exprimer, nous vêtir, nous nourrir, nous laver, et pour contribuer au monde par nos talents. Nous dépendons tous les uns des autres ; le charpentier, le plombier, le médecin, le pharmacien, l'avocat, le fermier, l'instituteur, l'ingénieur sont tous nécessaires et nous devons payer l'impôt pour contribuer au soutien du gouvernement local comme à celui de l'Etat.

Il se peut que l'argent de nos impôts ne soit pas sagement employé ; néanmoins, dans une société ordonnée il faut que chacun contribue à César. Le monde exige de vous vos capacités, vos talents, votre labeur. Votre famille exige la protection, les soins attentifs et toutes les nécessités de la vie. Il faut apporter à César votre contribution et mettre la main à la charrue ; il faut faire en sorte que ce monde soit meilleur pour vous et pour votre postérité.

La chose la plus importante du monde, c'est de mettre Dieu à la première place dans votre vie. Dieu est la Suprême Cause, le Créateur du monde, le Progéniteur de toute l'humanité, du cosmos tout entier. Chaque matin et chaque soir consacrez un moment pour Lui rendre visite ; visite à votre Moi Supérieur.

Communiez avec cette Présence Intérieure et sachez bien que vos pensées et vos sentiments déterminent votre destinée. Affirmez que la Loi et l'Ordre Divins règnent sur votre vie, que l'Amour Divin et que la Paix Divine s'expriment dans tous vos actes, dans toutes les expériences de votre vie. Affirmez hardiment : « *La loi et l'harmonie divines gouvernent mon esprit, mon corps et toutes mes entreprises. Les merveilles se produisent dans ma vie.* »

Se décharger du fardeau

Lorsque la frustration, l'obstruction à votre bien apparaissent dans votre vie, rendez donc à Dieu ce qui est à Dieu, c'est-à-dire priez conformément aux principes universels. Priez de la façon suivante : pensez à l'Intelligence Infinie, à la Sagesse Sans Borne, à l'Harmonie Absolue, à la Puissance Suprême en vous, et déclarez : « *La Divine liberté est mienne, la paix Divine est mienne, la Divine et harmonieuse solution s'accomplit maintenant.* » Soyez sans cesse conscient de ce que l'Esprit Infini connaît le chemin et révèle la solution ; vous trouverez bientôt la réponse dont vous avez besoin dans le monde physique.

Lorsque vous vous mettrez à l'unisson de l'Infini, vos pensées spirituelles transformeront votre monde physique, matériel et en ôteront le chagrin, le manque et la limitation, y mettant la beauté et l'ordre.

Donnez-vous la communion ?

Une femme m'a appelé récemment au téléphone pour me demander si nous donnons, au cours de nos réunions, la Sainte Communion. Par Sainte Communion, la plupart des gens entendent l'hostie et le vin consacrés, ce qui est purement symbolique et représente votre penser, vos sentiments, l'idée, l'émotion, l'Esprit et la forme.

Le Pain représente le pain de vie, c'est-à-dire les pensées de paix, de joie, d'amour, de bonne volonté envers tous, de courage, de foi et de confiance. Sans tout cela, vous ne pouvez vivre noblement dans ce monde confus. Le vin représente l'allégresse de l'Esprit Saint en vous, l'Esprit de bonté, de vérité et de beauté qui se meut sur les eaux de votre esprit et qui est émanation du bon vouloir envers tous.

Le pain c'est l'idée Divine dans votre esprit, et le vin, c'est ce qui vous anime, vous vivifie et émotionnalise en vous l'idée, de sorte qu'elle s'imprime dans votre subconscience et se manifeste dans votre vie. La pensée et la manifestation ne font qu'une. L'Esprit a besoin d'un corps pour S'exprimer. La Vie divine et la Substance divine sont une. Vous ne pouvez séparer l'Esprit de la forme. Le monde tout entier c'est Dieu manifesté en d'innombrables formes. Tout ce que vous voyez est sorti de l'esprit, de l'entendement de l'homme qui est l'Esprit, l'Entendement de Dieu, car il n'y en a qu'un.

Nous ne devons pas mépriser les choses matérielles. Vous êtes composé d'Esprit et de matière, et vous devez démontrer ce en quoi vous croyez. Il faut donc que vos résultats soient ceux de votre communion quotidienne avec la Divine Présence en vous. Tandis que vous méditez sur les qualités, les attributs et les pouvoirs de l'Infini, vous sentez que l'Esprit de Dieu se meut en votre faveur, vous animant, vous soutenant et vous fortifiant.

Lorsque vous faites l'expérience de cette Divine Transfusion, quand vous sentez qu'Elle se produit en vous, vous pouvez être assuré que vous recevez la Sainte Communion, parce que vous communiez alors dans le silence de votre âme, avec l'intégrité, la beauté, l'amour du prochain et la paix. Il faut que vous démontriez ce que vous croyez. Souvenez-vous que vous devenez ce que vous contemplez ; contemplez donc tout ce qui est vrai, beau, noble et divin. C'est cela la Sainte Communion.

La dignité du travail

Après une conférence faite à l'Eglise Unity de la Nouvelle-Orléans (2), dont le ministre est le docteur Ruth Murphy, assistée de sa ravissante fille, je fus consulté par une femme d'affaires importante qui, au cours de la conversation, me dit qu'elle avait

---

2. En Amérique les Centres d'ontologie et de psychologie sont souvent appelés : églises (N.T.).

de grandes difficultés à trouver un homme pour tondre les gazons, nettoyer les étables des chevaux, etc., que les domestiques qu'elle employait dans sa vaste demeure refusaient de faire certains travaux, les disant dégradants et humiliants. Une de ces personnes ayant refusé de faire la lessive, cette dame avait été contrainte de trouver un Chinois qui lui, accepta de la faire de très bon cœur. Il s'en acquitta parfaitement et lui remit un linge impeccable.

Aucun travail n'est dégradant. Nous sommes ici pour faire toutes choses à la gloire de Dieu, qu'il s'agisse de laver les carreaux, le plancher ou de nettoyer l'étable. Aucun travail n'est servile puisque c'est l'Esprit, Dieu, qui agit dans le corps et à travers le corps de tous les hommes, de toutes les femmes de la terre. C'est Dieu en vous et à travers vous qui travaille, quelle que soit votre tâche.

Vous pouvez vous servir bien, ou mal, de l'Energie Divine qui vous anime. Quel que soit votre travail, comprenez que c'est Dieu qui agit, c'est-à-dire que Dieu pense, parle et agit à travers vous, puisque Dieu-Energie est la seule Puissance. Vivez dans cette conscience et les merveilles se produiront dans votre vie.

La religion c'est la pratique de la présence

Dernièrement, un homme me consulta qui souffrait d'un ulcère suppurant à la jambe ; l'odeur était nauséabonde. Je l'envoyai chez un médecin qui a la réputation de prier régulièrement pour ses malades.

Puis, j'expliquai à mon consultant que Dieu, le Saint Esprit, est en lui, et qu'il nettoierait, guérirait et restaurerait l'intégrité et la beauté de sa jambe. Je lui dis aussi de prier pour son médecin, conscient de ce qu'il serait divinement guidé pour le soigner. Voici quelle fut sa très simple prière : « *L'Esprit Saint rénove tous les tissus de ma jambe dans la beauté, l'ordre divin, la symétrie, de sorte que dans ma chair je verrai se manifester la Présence de Dieu.* »

Le médecin le pansa et lui dit de continuer à affirmer : « *Dieu me guérit en ce moment même.* » En peu de temps, cet homme fut complètement remis. Ce médecin ne pensait pas qu'il s'ôtait du prestige en aidant son malade à nettoyer l'étable de son esprit, tout en pansant sa plaie.

La Bible dit : « **... Si je ne te lave, tu n'auras point de part avec moi** » (Jésus 13 : 8). Jésus lavait les pieds de ses disciples. Les pieds symbolisent la compréhension, et les disciples, les facultés de votre esprit. Il incombe à chacun d'ouvrir son esprit et son cœur, pour y laisser entrer la puissance guérissante de l'Esprit Saint.

Partout où la maladie, la pauvreté, la misère se trouvent, si affreuse que soit la maladie, l'Esprit Saint peut guérir, réintégrer les atomes du corps et le rendre à l'intégrité et à la vitalité du prototype divin. Cela dépend de la pratique de Dieu qui est la vraie religion. Lorsque vous vous donnez une transfusion de la grâce et de l'amour de Dieu, vous participez à la sainte communion de même que le morceau de pain que vous mangez se transforme en tissu, en muscle, en os et en sang dans votre corps.

Les prostituées de la Bible

Nous sommes tous des prostituées lorsque nous cohabitons avec le mal, lorsque le ressentiment, la haine, la jalousie et l'hostilité demeurent dans notre esprit. Ces émotions négatives engendrent une mauvaise progéniture ; toutes sortes de maladies et de conflits mentaux.

Au cours d'une récente conférence, j'ai dit que j'avais béni le mariage de plusieurs femmes dont la vie, jusqu'alors, n'avait pas été sans reproche. Mais elles avaient complètement transformé leur existence, s'étaient mariées avec des hommes de bien et vivaient à présent dans la droiture. Certaines d'entre elles me demandèrent ce qui se passerait si elles rencontraient d'anciens clients qui révéleraient à leurs maris leur passé.

Je leur expliquai que puisqu'elles s'étaient pardonné, qu'elles vivaient maintenant de saintes vies, ayant cessé de s'accuser elles-mêmes, personne ne pouvait les accuser ni leur nuire « **... où sont ceux qui t'accusaient ? Personne ne t'a-t-il condamnée ? Elle**

répondit : Non, Seigneur. Et Jésus lui dit : Je ne te condamne pas non plus ; va, et ne pèche plus » (Jésus 8 : 10-11).
Elles comprirent la signification de ces paroles de l'Ecriture, que le passé est mort et que rien ne compte que le moment présent. Un nouveau commencement est une nouvelle fin.

La Bible dit que Jésus fréquentait des prostituées et des publicains. « **Le Fils de l'homme est venu, mangeant et buvant, et vous dites : c'est un mangeur et un buveur, un ami des publicains et des gens de mauvaise vie !** » (Luc 7 : 34). La raison est évidente. La prostituée est tombée au plus bas de la dégradation ; elle est méprisée et rejetée de la société. Mais souvent, ceux que la société ostracise sont les plus réceptifs envers la Vérité. Ils ont faim et soif des vérités éternelles et se réjouissent d'apprendre que Dieu ne les condamne jamais, que tout ce qu'ils ont à faire c'est de changer leurs pensées, de telle sorte que leur subconscience leur réponde. Alors le passé est oublié à jamais.

Mais pour cela la prière superficielle ne suffit pas ; il faut une entière transformation de l'esprit et du cœur, il faut que la femme ressente un désir intense de devenir fille de l'Infini, enfant véritable de l'éternité. Lorsque cette transformation intérieure a lieu, la loi de la subconscience la contraint à vivre une vie nouvelle, une vie d'intégrité, de droiture « ... **Je ne me souviendrai plus de leurs péchés et de leurs iniquités** » (Hébreux 8 : 12).

Les Pharisiens du monde

Le Pharisien est partout. C'est ce type de personne qui suit les rites, les cérémonies, les dogmes de son église. Il avale une hostie et boit du vin et pense qu'il communie avec Dieu. Le pain, l'hostie, c'est toujours un peu de farine, et le vin l'essence distillée du raisin, mais l'homme pense que les absorber c'est accomplir la Sainte communion. Il suit toutes les règles de son église et se dit qu'il appartient à la vraie religion. Il en est fier et, extérieurement, il est conventionnellement bon. Mais ce qui importe, c'est ce qu'il a dans le cœur. Le service des lèvres à une doctrine prescrite, à un dogme, à un credo, tout cela n'a point de signification. Les éternelles vérités doivent être accueillies sincèrement dans nos cœurs. Nos prières doivent être inspirées de l'Esprit, et non point ces récitations mécaniques auxquelles le cœur n'a point de part.

« **Malheur à vous, scribes et Pharisiens, hypocrites ! parce que vous ressemblez à des sépulcres blanchis, qui paraissent beaux en dehors, et qui, au-dedans, sont pleins d'ossements de morts et de toute espèce d'impuretés** » (Matthieu 23 : 27).

Rien n'est bon ni mauvais

Shakespeare dit : *« Rien n'est bon ni mauvais si ce n'est ce qu'en fait la pensée. »* Le seul bien, le seul mal, est dans votre pensée envers les gens, les choses, les conditions, la fleur, la plante. Bien des personnes touchent des plantes vénéneuses sans en ressentir le moindre mal. Elles sont en bon rapport avec toutes les plantes. D'autres, qui acceptent qu'elles soient dangereuses, même si elles ne les approchent qu'à distance, obtiennent la réaction de leur pensée.

Leur subconscience sait qu'elles en ont peur, et ce qu'elles craignent, elles en font l'expérience. « **Car ce que j'ai grandement redouté c'est ce qui m'arrive...** » (Job 3 : 25).

Sa mère disait qu'elle était une pécheresse

Il y a quelques semaines, je dirigeai un séminaire à l'Eglise Unité, à Phoenix, que dirige le docteur Blaise Mays, un des ministres les plus distingués de la Pensée Nouvelle dans ce pays.

Une jeune femme vint me consulter à l'hôtel, se plaignant de ce que sa mère la condamnait parce qu'elle jouait aux cartes, dansait, allait au cinéma, prenait de temps à autre un apéritif et mangeait de la viande. Cette mère n'était qu'ignorance, peur et superstition, ayant apparemment subi, d'un culte quelconque, un lavage de cerveau et projetant sur sa fille ses tabous et ses prohibitions. Celle-ci, âgée de trente ans, ne s'était pas mariée, avait peur de la sexualité et des hommes, et se trouvait dans la plus grande confusion.

Je lui suggérai de faire tout ce qui lui avait été interdit.

Emerson a bien dit : « *Faites ce que vous avez peur de faire, la mort de la peur est alors certaine.* » Je lui conseillai de déclarer à sa mère, en termes catégoriques, qu'elle ne suivrait plus ses instructions, qu'elle était un être de libre volonté et qu'elle entendait prendre à présent ses propres décisions au sujet de ses vêtements, de sa nourriture, de ses amis et de tout ce qui la concerne.

Je lui dis qu'un Principe Directeur est en elle qui répond à sa pensée. Le mal était dans l'esprit de sa mère, car il n'y a point de mal dans les cartes, dans le vin, dans la danse, ni dans le fait de sortir avec un jeune homme. La jeune fille prit la décision de débarrasser son esprit de toutes ces sottes proscriptions de sa mère et de vivre sa vie avec Dieu pour associé, guide et conseiller.

Depuis lors, j'ai reçu de cette jeune personne une lettre dans laquelle elle me dit que le sentiment de la liberté est merveilleux et qu'elle vient de se fiancer à un jeune dentiste ; ils sont, me dit-elle, très épris l'un de l'autre et, pour elle, la vie a pris une tout autre qualité. Elle consacre ses pensées, ses désirs, et ses actes à la Vérité, sachant que la Loi et l'Ordre de Dieu gouvernent sa vie.

Tandis qu'elle continue de pratiquer la loi d'harmonie et d'amour, elle va avancer, victorieuse, vers son accomplissement parfait. « **... Et le désert se réjouira, il fleurira comme la rose** » (Esaïe 35 : 1).

Une visite de Las Vegas

Une amie de longue date, de Las Vegas, me rendit visite. Elle me fit un long récit des nombreux tests auxquels son médecin, spécialiste des allergies, l'avait soumise. Elle me dit qu'elle était sensible aux poils des chiens et des chats, aux œufs, au pollen, à la poussière, et aux arbres de toutes sortes.

Je lui contai comment un de mes amis, médecin, avait guéri une femme qui se disait allergique aux roses rouges. Il acheta dans un Uniprix des roses rouges artificielles et les plaça sur la table de son salon d'attente. Sa patiente eut une forte attaque et se déclara furieuse. Le médecin lui montra de près les roses synthétiques et elle ne put s'empêcher d'éclater de rire ; elle avait compris que son problème était dans son esprit. A partir de ce moment-là, ni rouges, ni blanches, les roses ne lui firent plus aucun mal !

Bien des gens sont allergiques à leurs femmes, à leurs maris ou au bonhomme qui se trouve assis sur le même banc qu'eux-mêmes. Si vous hypnotisez un homme qui dit qu'il est allergique à la fléole des prés, ou au pollen, en lui mettant sous le nez un verre d'eau distillée, lui disant que c'est de la fléole, il va réagir allergiquement, ce qui indique que sa croyance dans cette allergie est cachée dans les replis de sa subconscience.

Je parlai à mon amie de Las Vegas de mon récent voyage en Inde, au Népal et ailleurs. Dans les rues de ces pays on voit des gens qui souffrent de diverses maladies, certains ont des plaies suppurantes. Ces malades rendent la monnaie à leurs concitoyens comme aux touristes, et ces roupies sont absolument couvertes de toutes sortes de microbes virulents ; cependant, nul n'en souffre. Il est de toute évidence que personne n'est allergique à l'argent ; tous ont fait la paix avec lui, qu'il soit ou non infecté !

Un médecin en Inde me dit qu'au cours de la peste bubonique, alors que les malades mouraient comme des mouches, certains individus volaient de l'argent aux morts, aucun ne fut contaminé. Apparemment leur accord avec l'argent neutralisa tous les bacilles toxiques. « **Apprends à Le connaître, et sois en paix** » (Job 22 : 21).

17

Ce que vous devez savoir

Récemment, une dame me demanda si c'était un signe d'insanité que de se parler tout haut à soi-même. Son mari en était coutumier. Je dis à cette dame que cela est assez fréquent et que ce n'est pas nécessairement signe de confusion mentale. Son mari réagissait aux tensions des affaires, voilà tout.

En fait, cette réaction est causée par le sentiment de nos deux êtres ; l'être spirituel et l'être humain. Les enfants bavardent souvent avec des camarades invisibles, ce que les psychologues expliquent par le fait qu'ils ont un sentiment plus aigu que nous de leur moi subjectif.

Pourquoi il se parlait à lui-même

En conversant avec le mari, je vis qu'il était parfaitement normal. La raison pour laquelle il se parlait tout haut, c'est qu'il était aux prises avec un procès très important et que son Moi supérieur n'était pas d'accord avec ce que disait et faisait son moi extérieur. Cette querelle provoquait un état de déséquilibre qui se résolut lorsque cet homme se mit à affirmer : « *La Sagesse Infinie qui est en moi me donne la solution harmonieuse.* » En peu de temps, un accord à l'amiable se produisit.

Les manchettes le mettaient hors de lui

En m'entretenant avec un homme qui était soigné pour une très forte tension artérielle, j'appris que cet homme, qui aspirait pourtant à la paix, était contrarié, irrité au-delà de toute mesure par les manchettes et les articles des journaux chaque matin.

Je lui fis remarquer que, bien qu'il soit vrai que le monde va d'une crise à l'autre, il n'était pas nécessaire que cela l'affectât personnellement. Il se mit à comprendre que s'il ne pouvait, en tant qu'individu, empêcher les crimes, les meurtres en masse, les révolutions, la guerre et les maladies, il pouvait maîtriser ses propres réactions et modifier son attitude mentale devant ces événements. Aucune loi n'oblige quiconque à se mettre hors de lui-même parce qu'un journaliste écrit un article sordide ou morbide.

La Bible dit « **Personne ne me l'ôte...** » (Jean 10 : 18). La signification de ces paroles est évidente : aucun homme, aucun article de journal, aucune condition, aucune circonstance ne peut nous ravir notre paix, notre foi en Dieu. Nous nous délestons nous-mêmes de la paix en abandonnant le contrôle de nos pensées et de nos émotions.

Cet homme le comprit et prit sur-le-champ la décision de ne plus permettre à aucun article, à aucun reportage de le priver de sa paix, de son équilibre, de sa sérénité intérieure. Lorsque des pensées de peur, de colère ou de haine se présentaient à son esprit, il les supplantait immédiatement en affirmant : *« La paix de Dieu remplit mon âme. »* Il fit de cette prière une habitude et il eut la joie d'entendre son médecin lui dire qu'il pouvait se passer de médicaments, sa tension étant redevenue normale. En deux semaines, il était parvenu à un état de paix parfaite.

Soyez fidèle jusqu'au bout

Il y a quelques jours, je fis une conférence à l'Eglise de Science Religieuse du docteur Bitzer, à Hollywood, sur *La Sagesse du I Ching* (1). Après la conférence, une amie de longue date me conta que le frère de son mari lui avait promis une somme d'argent qu'il devait lui envoyer immédiatement et qui

---

1. *Secrets of the I Ching* par le Dr Joseph Murphy, non traduit en français (N.T.).

venait à point pour résoudre une grave difficulté pécuniaire. La lettre contenant le chèque était envoyée recommandée et le mari l'attendait dans les jours suivants. Ne la recevant pas, il se laissa déprimer et se désespéra tant qu'il fut terrassé par un malaise cardiaque. Le lendemain, la lettre arriva par exprès.

Cet homme avait permis à l'anxiété de le maîtriser. S'il avait su maintenir son calme, se tranquillisant, confiant dans la Divine Présence, il aurait compris que la lettre était en route. Quand sa femme la lui apporta, il se remit rapidement ; son médecin dit que cette lettre de son frère avait été le meilleur médicament. Restez fidèle à votre Moi divin jusqu'au bout ; Sa réponse ne vous fera pas défaut.

La richesse est en vous

Dans l'avion qui me ramenait d'une série de conférences faites à l'Eglise Unity de Phoenix, Arizona, j'eus une conversation fort intéressante avec un prospecteur de puits de pétrole. Il était, me dit-il, un « vieux de la vieille ». Son père avait été prospecteur dans le Texas bien des années auparavant et s'était retiré, dégoûté, disant qu'il n'y avait de pétrole nulle part et déconseillant à son fils d'en chercher. Le fils continua néanmoins ses recherches dans les champs que son père avait explorés, il en trouva et, en quelques années, se fit une petite fortune. Son père avait abandonné trop tôt.

Le fils pensait que Dieu le guiderait au bon endroit, et il découvrit un puits très productif. La richesse était dans l'esprit de ce fils. Elle était aussi dans le sol, mais il fallait de l'intelligence pour la trouver. Cet homme me dit que son père avait un défaut, il était très jaloux de ses voisins qui avaient trouvé du pétrole et s'étaient enrichis. La jalousie et l'envie avaient embué la vision de ce père et l'avaient empêché de trouver le pétrole sous ses pieds.

Le royaume est en vous

Le royaume de l'intelligence, de la sagesse et de la puissance est en vous. Autrement dit, Dieu vous habite, et toute la sagesse, la direction, la puissance et la force dont vous avez besoin vous sont immédiatement accessibles. Votre royaume est une attitude d'esprit, une façon de penser, un accent émotionnel par lesquels vous savez que vous pouvez surmonter et accomplir ce que vous voulez par la Toute-Puissance qui est en vous. Prenez l'habitude d'affirmer fréquemment tous les jours : *« La paix divine remplit mon âme. L'Amour divin gouverne toutes mes activités. J'agis selon Ses directives. »*

Priez ainsi et vous sentirez la paix s'emparer de votre être. Ni les gens, ni les circonstances, ni la mer, ni les montagnes ne vous la donneront ; le monde est en constante agitation ; il faut entrer en vous-même pour trouver et pour pouvoir maintenir la paix *« qui surpasse toute intelligence »* (2). Mettez-vous à l'unisson du repos de l'Infini. Les merveilles se produiront tandis que vous prierez.

Surmonter le monde

La Bible dit « **... Dans le monde, vous aurez des tribulations, mais prenez courage ; j'ai surmonté le monde** » (Jean 16 : 33). Le « monde » ici ne se réfère pas aux objets matériels, à la terre, aux pierres, aux arbres, aux fleuves. Ce monde c'est l'entendement collectif, avec sa confusion, sa haine, ses jalousies, ses conflits, ses rêves et ses aspirations, le bien et le mal, les guerres, les disputes. En d'autres termes, il s'agit du penser, des actions et des réactions de quatre milliards d'individus.

Nous sommes tous immergés dans l'entendement collectif, la loi des moyennes. Il ne sert à rien de s'agiter, de se laisser perturber par les conflits du monde. D'autre part, il n'est pas possible d'en sortir. Mais il nous est loisible de nous élever au-dessus de ce monde en pensant spirituellement, constructivement et harmonieusement. Adoptez donc une attitude de victoire, de triomphe, et affirmez hardiment : *« Dieu au centre de mon être me guide, m'enrichit et me donne la force et le pouvoir de tout surmonter. »* Irradiez l'amour et la bonne volonté envers tous. Affirmez votre équilibre divin. En affirmant régulièrement ces vérités, vous passerez à travers le maelström, le tourbillon du penser de ce monde et vous demeurerez en satisfaction.

---

2. Allusion à l'Epître aux Philippiens 4 : 7 (N.T.).

Elle disait : « Je ne puis supporter cela »

Une jeune infirmière me dit qu'elle venait d'être nommée à son premier poste dans une clinique, mais qu'il y régnait un grand désordre ; ce n'était que récriminations, interruptions, bruits et disputes. Elle en était outrée et me dit : *« Cela est impossible, je ne peux pas le supporter. »*

Je lui expliquai que le fait de se sauver n'arrangerait rien ; qu'elle était là pour faire face à ces défis, à ces difficultés et pour les surmonter. Les récriminations, les plaintes, les interruptions, les gens de mauvaise humeur, tout cela faisait partie de son travail. Elle m'écouta et décida de rester calme et d'affirmer fréquemment : **« Je ne fais aucun cas de ces choses... »** (Actes 20 : 24). *« Je suis ici pour vaincre, pour servir, pour irradier l'amour et la compréhension et pour acquérir ainsi de l'expérience. »*

Cette infirmière découvrit que son attitude changée transformait tout. Elle travaille à présent dans cette clinique avec l'esprit en paix **« ... c'est dans la quiétude et la confiance que sera votre force... »** (Esaïe 30 : 15). Elle a découvert que le pouvoir de transcender le tracas et les vexations était en elle, qu'il y a en elle une puissance plus forte que quelque situation que ce soit « ... **Celui qui est en vous est plus fort que celui qui est dans le monde »** (I Jean 4 : 4).

Chacun rencontre des difficultés, des défis, des problèmes ; les conflits, les discussions font partie de l'expérience terrestre ; mais l'homme, ou la femme, qui sait que tout problème peut être divinement surmonté remporte ses victoires ; ils savent que de se maintenir dans la Présence Infinie, dans Sa Toute-Puissance, apporte la joie et la prière exaucée. La connaissance de la Divine Présence intérieure donne la foi et la paix de l'esprit.

Soyez un bon jardinier

Votre esprit est le jardin dans lequel vous semez des graines, c'est-à-dire des pensées, des impressions et des croyances. Dans la Bible, votre esprit s'appelle la vigne. La Bible, au moyen de symboles empruntés aux choses physiques, terrestres, enseigne les lois mentales et spirituelles. Tout ce que nous imprimons sur notre subconscience, que ce soit bon ou mauvais, se manifeste dans notre expérience.

L'homme s'en prend constamment aux conditions, aux événements, aux circonstances, plutôt que de regarder en lui-même et de comprendre qu'il devient ce qu'il pense tout au long du jour. Votre santé, votre bonheur et votre prospérité dépendent, non point des événements et des actes des autres, mais de la façon dont vous pensez et sentez. Votre pensée et votre sentiment déterminent votre destinée. Souvenez-vous en, c'est à vos propres pensées et à votre concept de vous-même que vous avez affaire, ce sont eux qui déterminent votre avenir.

Que projetez-vous ?

Récemment je me suis entretenu avec un homme qui projetait la colère, le ressentiment et l'hostilité envers ses associés ; ceux-ci lui répondaient par des attitudes semblables. Cet homme ne savait pas qu'il était lui-même en défaut, et il blâmait les autres.

Je lui expliquai que son esprit est semblable à un projecteur de cinéma qui lance des images sur un écran. Ayant compris, cet homme se mit à transformer son attitude et à projeter silencieusement la bonne volonté, l'harmonie, la paix et l'amour divin envers tous ses associés et ses collègues ; leur attitude envers lui se transforma. L'homme avait compris que la cause du mal était en lui.

La Bible donne à ce sujet une admirable réponse : « **Ne jugez point, afin que vous ne soyez point jugés. Car on vous jugera du jugement dont vous jugez...** » (Matthieu 7 : 1-2) ; « **On vous mesurera avec la mesure dont vous vous serez servi** » (Luc 6 : 38). Il a été justement dit : *« La beauté est dans l'œil de celui qui regarde. »* Si vos yeux sont identifiés à ce qui est beau, vous ne verrez que ce qui est beau. « **Au pur tout est pur** » (Tite 1 : 15).

Souvenez-vous que vous avez autorité, domination, règne sur le gouvernement de votre esprit. Vous êtes le cultivateur de la vigne qu'est votre esprit. Apprenez à posséder votre esprit et rappelez-vous fréquemment que les trésors de l'Infinité sont en vous. Apprenez à vous approprier les immenses pouvoirs de l'Infini en vous et avancez vers une mesure plus grande de santé, de bonheur et de paix de l'esprit.

Il trouva le trésor

Un jeune homme de quatre-vingt-dix ans, chronologiquement parlant, me dit qu'il s'était découvert des talents qu'il n'avait jamais soupçonnés. Il s'était mis à prier pour que L'Intelligence Infinie lui révèle des idées créatrices nouvelles, qui seraient de nature à bénir et à inspirer les gens. Il me fit lire d'admirables poèmes qui coulent librement de sa plume et qui sont en effet des joyaux de sagesse.

Etant jeune homme, il avait parcouru le pays tout entier doutant, questionnant, craignant, se lamentant, haïssant et combattant les autres, jusqu'à ce que, me dit-il, à trente ans, il découvrît que les plus grands dons de la vie étaient en lui-même et non dans les cinquante Etats de l'Union. Il vit à présent à Laguna Hills, contribuant à la beauté de cet endroit en donnant sagesse et largesses à tous ceux qui l'entourent.

Regardez toujours au-dedans

Contemplez la Vivante Présence de Dieu en vous-même. Ayez bien conscience de ce que vous avez la vie, le mouvement et l'être dans cette Présence Infinie, cette Puissance. Ainsi faisant fréquemment, vous vous trouverez soutenu, fortifié et protégé à tout instant. Réservez chaque jour du temps pour la contemplation du Divin. Souvenez-vous que l'agitation, aller de droite à gauche, ne mène à rien.

Chaque matin en vous levant, rendez grâce pour les nombreuses bénédictions dont vous êtes l'objet, et vivez dans la joyeuse attente du meilleur, déclarant qu'aujourd'hui est le plus grand jour de votre vie parce que votre Moi Supérieur vous révèle de meilleurs moyens de servir et de grandir spirituellement. Le soir, avant de vous endormir, enveloppez-vous dans le manteau de l'amour de Dieu, vous pardonnant vos erreurs de la journée, et endormez-vous avec sur vos lèvres la louange éternelle de Dieu.

Etes-vous prêt ?

Au cours d'une conférence que je fis récemment, je citai Shakespeare : « *Toutes choses sont prêtes si l'esprit est prêt.* » Le poète signale ici une grande vérité au sujet des lois mentales et spirituelles. Une jeune fille m'écrivit pour me dire qu'elle n'avait jamais auparavant entendu l'explication de cette citation qui s'appliquait à elle. En effet, elle avait sans cesse retardé son mariage, ne se sentant pas prête parce qu'elle prenait soin de ses parents. Soudain, elle prit sa décision : « *Maintenant je suis prête.* » Elle téléphona à son fiancé pour l'en instruire et l'auteur du présent livre eut le privilège de procéder à la cérémonie de leur union.

Vous pouvez être et vous pouvez faire ce que vous voulez être et faire, si vous êtes mentalement prêt. Votre grande opportunité dans la vie est véritablement votre acceptation mentale. En fait, les parents de cette jeune fille n'étaient point une pierre d'achoppement à l'accomplissement de sa vie. Elle s'en était fait une idée fausse. Ravis à l'annonce du mariage de leur fille, ils engagèrent une infirmière et une domestique et chacun fut heureux de cet arrangement. Quand l'amour entre dans votre vie, il contribue à la paix et au bonheur de tous ceux qui vous entourent et même de tous les hommes de partout.

Souvenez-vous de cette simple vérité : lorsque vous serez prêt mentalement, vous verrez que tout l'est également. Aux premiers jours en Amérique, les pèlerins auraient pu, bien sûr, se servir du téléphone, du cinéma, des avions, etc., mais ils n'étaient pas prêts mentalement. Ils croyaient que le cheval et la cariole étaient les seuls moyens de transport. Moïse, Elisée, Bouddha et tous les anciens maîtres auraient pu employer la radio et la télévision pour énoncer les grandes vérités de la vie s'ils avaient été prêts et réceptifs mentalement.

La lois de la nature ne varient jamais, elles étaient alors ce qu'elles sont aujourd'hui, mais l'esprit des anciens sages et prophètes n'était pas prêt pour ces inventions. La provision et la demande ne font qu'un, mais il faut être mentalement prêt pour que la réponse vienne dans l'Ordre divin.

Mettre Dieu en premier

Dernièrement j'ai célébré un service mémorial pour un homme de 104 ans. Sa femme me dit qu'aussi loin qu'elle se rappelât, son mari n'avait jamais été malade, mais la nuit qui précéda sa transition, il lui dit qu'il allait retrouver ses êtres chers. Puis il passa dans son sommeil. Son épouse me dit aussi que tous les matins, il lisait à haute voix le Psaume 91, insistant sur la phrase « **...Je le rassasierai de longs jours...** » (Psaume 91 : 16). Il insistait aussi sur : « **Tu me feras connaître le sentier de la vie...** » (Psaume 16 : 11) ; « **Garde ton cœur plus que toute autre chose, car de lui viennent les sources de la vie** » (Proverbes 4 : 23).

Pour cet homme, la vie signifiait bonheur, accomplissement et esprit de service. Il jouissait de la vie et prodiguait ses talents. La longue vie dont parle la Bible est une longue période de joie, de liberté, de paix et d'accomplissements. Cette vie abondante est à tous ceux qui pratiquent la Règle d'Or (3) et qui mettent Dieu à la première place dans leur vie.

Elle se servait de la planche Ouija

Je reçois de nombreuses lettres d'hommes et de femmes, vivant dans différents Etats, qui déclarent qu'ils entendent des voix la nuit qui leur hurlent aux oreilles des obscénités, des vulgarités, des blasphèmes. Une femme m'écrivit qu'une entité lui disait de se tuer pour la rejoindre dans la prochaine dimension.

Cette femme s'était servie de la planche Ouija et elle vivait dans la peur constante qu'une entité ne la possède. Ce qu'elle redoutait sans cesse lui arriva. Cette femme ne savait pas que son subconscient accepte toutes les suggestions, bonnes ou mauvaises,

---

3. *« Ce que vous voulez que les hommes fassent pour vous, faites-le de même pour eux. »* Luc 6-31 (N.T.).

et qu'en fait, sa peur d'une entité mauvaise était une constante requête, un commandement à son subconscient qui répondait en jouant le rôle d'un esprit mauvais. En réalité c'était sa propre subconscience qui lui répondait.

Je lui donnai la prière suivante, qui est très efficace, en lui disant de la répéter à haute voix à maintes reprises le jour et la nuit, aussi souvent que le désir lui en viendrait, et elle sentirait la Présence de Dieu. Cette conscience chasse de l'esprit toutes influences négatives. Il faut affirmer hardiment : « *Ce que je dis à présent je le pense, je le décrète. Dieu vit en moi. Ma vie est Sa vie et Sa paix remplit mon esprit et mon cœur. L'amour de Dieu sature mon âme... Je grandis en sagesse, en vérité et en beauté. Je suis intègre, je suis fort, je suis heureux, joyeux et libre. Je puis accomplir toutes choses par la Puissance-Dieu qui me fortifie. Je sais que tout ce à quoi je dis « JE SUIS », je le deviens. Dieu a soin de moi. Je suis entouré du cercle sacré de Son amour éternel. Toute l'armure de Dieu me protège. Dieu me guide. Sa lumière brille en moi.* »

A la suite de cette méditation, elle devait commander hardiment et catégoriquement à son subconscient : « *Je décrète, j'ordonne que tu sortes de toute crainte. Sors. Dieu est ici, et là où Dieu est il n'y a aucun mal. Je suis libre.* »

En deux semaines cette femme fut entièrement dégagée. Elle ne joue plus avec la planche Ouija.

Prenez bien cette clé

La Bible dit : « **...Je suis ce que je suis...** » (Exode 3 : 14), ce qui signifie l'Etre inconditionné, le Vivant Esprit Tout-Puissant. C'est le nom sans nom. Cela signifie l'Unique Présence et Puissance-Dieu. C'est la tentative de Moïse pour exprimer l'Infinie Nature de Dieu, qui est sans face, sans forme, sans temps, sans âge.

Lorsque vous dites « JE SUIS », vous annoncez la Présence de Dieu en vous-même. Vous êtes une individualisation de l'Infini. Si vous dites « JE SUIS Jean Durand », vous annoncez que vous êtes un homme possédant un certain nom, une certaine nationalité, certaines caractéristiques, certaine position dans la vie, etc. Autrement dit, vous êtes la Vie Universelle apparaissant sous la forme d'un homme. Tout ce à quoi vous dites « JE SUIS », vous le devenez.

Servez-vous de l'affirmation suivante et sentez la vérité de ce que vous affirmez : *« JE SUIS intègre, fort, puissant, aimant, prospère, plein de succès, éclairé et inspiré. »* Prenez l'habitude de réitérer ces vérités, vous aurez trouvé la clé qui vous ouvre le trésor qui est en vous.

Le premier et le dernier

Pendant un cours récent sur la signification profonde du Livre de la Révélation (4), un homme demanda quelle était celle de « **...Je suis Alpha et Oméga, le premier et le dernier...** » (Révélation 1 : 11).

Cet homme est un homme d'affaires, je lui donnai l'explication suivante : JE SUIS est la Présence de Dieu en chacun de nous. C'est la conscience-d'être inconditionnée. C'est l'unique Présence, l'unique Puissance, la Cause de toute manifestation. Elle est Omniprésence, c'est la Vie qui est en nous tous. Le JE SUIS individuel est le JE SUIS universel conditionné par le penser et les croyances de l'homme. C'est notre conscience-d'être personnelle, c'est-à-dire la façon dont nous pensons, sentons, croyons ; c'est tout ce à quoi nous donnons consentement mental.

Mon interlocuteur comprit ce que signifie *JE SUIS le premier et le dernier,* le commencement et la fin, car notre propre conscience-d'être est le commencement de toute entreprise. Nos actes, nos expériences et leurs résultats sont secondaires.

Nous écrivons, par exemple, un livre. Cela prend quelque temps, puis s'achève. Il en va de même pour toute convention, toute transaction commerciale. Le commencement est dans l'esprit de celui qui s'y livre. S'il commence sa nouvelle entreprise avec foi et confiance, la fin, le résultat sera une réussite ; la fin s'accordant au commencement.

---

4. En français : l'Apocalypse (N.T.).

L'homme en question se mit à peindre des cartes avec des sujets spirituels et à les envoyer, avec beaucoup d'amour dans son cœur. Il reçut d'émouvantes lettres de presque tous les récipiendaires et son épouse est parmi ceux qui répondirent à cet élan du cœur.

Commencez votre entreprise avec foi et confiance ; vous obtiendrez le succès. Le commencement et la fin sont la même chose. Votre pensée et votre sentiment sont le commencement, le résultat de ces pensées et de ces sentiments est la fin.

Elle échoua trois fois

Une femme, agent immobilier, me dit qu'elle avait ouvert par trois fois un cabinet et qu'elle avait échoué chaque fois lamentablement. Elle dit aussi qu'elle allait à l'église, recevait les sacrements et priait régulièrement pour la prospérité et la réussite. Mais elle redoutait l'échec et s'y attendait. Elle en avait l'image mentale. Sa négativité constante sapait tout son travail. Bien qu'elle attirât des clients, l'échec persistait ; cela était inéluctable puisqu'elle commençait ses affaires avec des pensées d'échec ; le résultat coïncidait avec le commencement.

Cette dame apprit à renverser son attitude mentale et à établir dans son esprit le prototype du succès en affirmant, matin et soir : « *L'Esprit Infini m'attire les clients qui sont à même d'acheter les propriétés que j'ai à vendre. Ils sont bénis et enrichis comme je le suis moi-même. Dans toutes mes entreprises JE SUIS un immense succès. Je suis née pour gagner, pour réussir ma vie : Je sais que ce que je commence avec l'idée de la réussite aura la réussite pour fin.* »
Lorsque des pensées de peur lui venaient, elle les supplantait immédiatement en affirmant : « Le succès est à moi. C'est merveilleux. » Elle fit de cela une habitude et, puisque le subconscient est le siège de l'habitude, elle est à présent forcée de réussir ; elle avance vers le haut.

Votre humeur est contagieuse

Chacun connaît des personnes qui sont amères, cyniques et pleines de critiques envers les autres et au sujet de tout en général. Cette attitude négative se communique inconsciemment aux autres et les empêche d'avancer dans la vie. Beaucoup de personnes aussi sont jalouses de ceux qui réussissent leur vie et cette jalousie, cette envie, leur enlève l'énergie vitale ; ils sont toujours fatigués, épuisés.

Les personnes chaleureuses, compréhensives, généreuses irradient la puissance curative de la vie, elles projettent le rayonnement de l'Amour divin dans tout ce qu'elles font.

Soyez un bon patron

Vous devenez un bon patron quand vous cessez de blâmer votre entourage, vos parents, les conditions de votre enfance. Il ne sert à rien de s'en prendre aux autres ; la cause de vos défaites est dans vos propres pensées et dans vos sentiments. Personne n'est à changer si ce n'est vous.

Apprenez à avoir le contrôle, à être le patron de vos pensées, de vos sentiments, de vos actions et de vos réactions. Ayez conscience d'être le maître de votre propre maison, votre esprit. Affirmez que la Loi divine, que l'Ordre divin vous gouvernent en tout temps. Commencez à penser, à parler, à agir et à réagir depuis le Centre divin de votre Etre. Sachez dominer vos pensées et les diriger convenablement. Faites en sorte qu'elles vous apportent la santé, la réussite, les bons rapports humains, dans toutes les phases de votre vie.

Celui qui refuse de prendre la direction de ses pensées sera mené et dominé par les conditions, les circonstances et les gens. Il sera le jouet de l'entendement collectif. Choisissez vos pensées, basez-les sur les Principes divins, sur les éternelles vérités ; tous vos sentiers seront ceux du bonheur, toutes vos voies celles de la paix.

Bonne fortune

Je me suis entretenu, il y a quelque temps, avec un homme de 80 ans qui me dit que sa maxime, toute sa vie, a été : *« Je m'attends à la bonne fortune. »* Et toute sa vie il l'a eue. Sa mère, qui était quaker, lui dit, lorsqu'il était très jeune : *« John, attends-toi toujours à la bonne fortune et tu l'auras. »* Sage conseil, car la vie nous donne toujours ce que nous en attendons et non ce que nous voulons.

Croyez à la bonne fortune, vous en aurez de toutes les façons, car la loi de la vie est la loi de la croyance.

Sachez qui vous êtes

La Bible : **« Celui qui est issu d'une union illicite n'entrera point dans l'assemblée de l'Eternel, même à la dixième génération, il n'entrera pas »** (Deutéronome 23 : 2). « Notre Père », dans la Bible, signifie le Principe de Vie, qui est le Progéniteur de tous. C'est ainsi que nous sommes tous frères et sœurs, intimement liés aux autres.

Tout homme devrait connaître la Source dont il est issu. La Bible est un traité de psychologie et de métaphysique, elle parle en métaphores et en paraboles. Il faut connaître son sens caché. Quand l'homme ne sait pas que Dieu, l'Intelligence Infinie, l'habite, il est incapable de faire face aux défis que lui lance la vie terrestre. Il ne comprend pas qu'il a en lui une puissance, une sagesse qui lui permettent de résoudre tous les problèmes et de s'élever triomphalement, de s'exprimer au plus haut point.

Celui qui pense que ses ancêtres sont la source de son être se limite infiniment, et il se sent restreint et circonscrit par son entourage, sa formation et par les croyances limitées de ses aînés. Mais s'il sait que Dieu est son Père véritable et qu'il a hérité de tous les pouvoirs, de toutes les qualités, de tous les attributs de l'Infini, il a le sentiment, la conscience d'être capable d'accomplir de grandes choses, et il est vainqueur.

Prendre littéralement le passage du Deutéronome que nous venons de citer serait absurde ; sa signification profonde est la suivante : quand l'homme connaît sa Source véritable, quand il s'accorde à cet Infini, il rejette en même temps les erreurs, les fausses croyances et les superstitions de l'entendement collectif et devient maître de son univers. L'homme est de lignée royale, puisque son Père est Dieu, et Dieu est Esprit. Comme le dit Emerson : « *Chaque esprit se construit une maison.* » C'est alors qu'il est maître et qu'il façonne sa propre destinée.

« ...Qu'il te soit fait selon ta foi... » (Matthieu 8 : 13).

Table des chapitres

1. La Puissance est en vous 5
2. La nouvelle race 17
3. L'homme et le cosmos 29
4. La Vérité fondamentale 43
5. L'art de la méditation 55
6. Les vérités antiques 71
7. La paix 83
8. La vraie nourriture 95
9. L'union mentale et divine ....107·
10. Vos pouvoirs spirituels 117
11. Toute réponse est en vous 127
12. Le chemin de la paix profonde 139
13. La maîtrise de vos pensées 149
14. La voie de la sagesse 161
15. Le langage de la Bible .... ·169
16. La solution de vos problèmes 173
17. Ce que vous devez savoir 185

IMPRIMERIE CLERC (S.A.)
Photocompo-Offset
18200 Saint-Amand

Dépôt légal Editeur n° 523 — Imprimeur n° 2232

Du même auteur, dans la même collection :

L'ENERGIE COSMIQUE
cette puissance
qui est en vous

Vous n'avez plus de raison, vous n'avez plus le droit d'être pauvre, malade ou limité en quoi que ce soit ! Apprenez à vous accorder à l'Energie Cosmique, cette Infinie Puissance qui est en vous, et vous atteindrez à de nouvelles et prodigieuses capacités.

Ce livre captivant vous révèle, de façon magistrale et éminemment pratique, le processus de la loi créatrice de votre pensée lorsqu'elle est au diapason de la Source de toute Vie, de toute Joie, de tout Amour et de toute Abondance.

Faites passer dans vos rêves les plus fous et les plus hardis, dans vos désirs les plus chers, le courant vitalisant de l'Energie Cosmique qui vous anime, et vous en recevrez le merveilleux accomplissement.

UNE VIE NOUVELLE VOUS ATTEND ! METTEZ DES AUJOURD'HUI CET OUVRAGE EN PRATIQUE.

Format 15 × 21 ; 192 pages ; couverture quadrichromie

28e mille

collection « La Science de l'Etre »

Du même auteur :

LES MIRACLES
DE VOTRE ESPRIT

Format 12 × 18,5 ; 110 pages ; 7ᵉ édition

Cet enseignement, basé sur l'Evangile, est essentiellement moderne et pratique puisqu'il démontre sans cesse la puissance de notre Etre réel, le Christ pour les croyants, le subconscient pour les psychologues.

Les livres du Dr Murphy sont d'une parfaite exactitude scientifique, mais l'auteur use volontairement d'un style dépouillé, d'une langue simple, afin d'être accessible à tous. Ses livres se lisent donc, non seulement sans fatigue, mais avec un plaisir qui va croissant parce qu'il met le lecteur à même de prendre immédiatement conscience des possibilités infinies qui sont en lui.

Aucun problème, aucune situation, si désespérée soit-elle en apparence, ne résistent à l'étude approfondie et à la mise en pratique des lois cosmiques dont le Dr Murphy s'est rendu maître.

COMMENT ATTIRER L'ARGENT

Format 12 × 18,5 ; 112 pages : 8ᵉ édition

VOUS AVEZ LE DROIT D'ETRE RICHE !

Vous êtes ici pour mener une vie abondante, pour être heureux, radieux et libre. Vous devriez donc posséder tout l'argent dont vous avez besoin pour que votre vie soit heureuse et prospère.

Pourquoi vous contenter de peu, voire d'un minimum, alors que vous pouvez jouir des richesses de l'infini ? En lisant ce livre, vous allez apprendre à vous lier d'amitié avec l'argent, et vous en aurez toujours en surplus. En désirant être riche, vous aspirez à une vie plus pleine, plus heureuse et plus merveilleuse. C'est une **impulsion cosmique,** et cela est bon, très bon.

La connaissance du mécanisme de votre esprit est votre sauveur et votre rédempteur. Votre destinée est contenue dans votre pensée et dans vos sentiments. Par droit de conscience, vous possédez toute chose ; la conscience de la santé produit la santé ; la conscience de la richesse produit la richesse.

Du même auteur :

GUERIR PAR LA TRANSFORMATION DE VOTRE PENSEE

Format 12 × 18,5 ; 192 pages ; 5ᵉ édition

Ce livre répond à un véritable besoin.

A travers le monde moderne, des millions d'hommes et de femmes, d'appartenances sociale, intellectuelle et spirituelle diverses, s'éveillent au vu des extraordinaires résultats obtenus par l'application des lois mentales et spirituelles, restées trop longtemps étouffées.

Nos maladies actuelles, tant physiques que mentales, bien qu'assorties de noms scientifiques dérivés de notre terminologie médicale, existaient déjà au temps de la Bible. Jésus les guérissait par la seule puissance de la « Présence Curative Universelle ». Pourquoi ne pas vous servir, vous aussi, de cette « Science de la Vie » ? Ce livre a justement pour but de vous apprendre comment vous pouvez appliquer vous-même, dès aujourd'hui, ce grand principe de guérison dont se servirent Elie, Paul, Moïse et Jésus il y a bientôt 2000 ans.

Tous les éléments vous sont ici fournis. Servez-vous en, et votre vie s'en trouvera transformée !

LA PRIERE GUERIT

Format 12 × 18,5 ; 216 pages ; 6ᵉ édition

A mesure que vous mettrez en application les techniques simples indiquées dans ce livre, vous découvrirez en vous-même une PUISSANCE qui peut vous tirer d'un état de prostration, de maladie, de solitude, de discorde ou de pauvreté, et qui peut vous mener sur le chemin de la liberté, du bonheur et de la radieuse santé.

Cet ouvrage vous montrera comment vous emparer de cette merveilleuse puissance, magique, curative, transformatrice, qui guérira toutes vos blessures mentales et physiques, proclamera la libération de l'esprit accablé de crainte, et vous libérera complètement des limitations de la pauvreté, des échecs, de la misère et du désarroi.

Il faut seulement que vous vous unissiez **mentalement et émotionnelle-ment** à cette PUISSANCE CREATRICE, et que vous laissiez s'accomplir les merveilles qui ont lieu lorsque vous priez.

Ce livre a été écrit dans le seul but de vous aider ; servez-vous en !